Learn
Passionately

《自分を変える!》

大人の学び方大全

宮崎伸治

世界文化社

自分を変える！　大人の学び方大全

目次

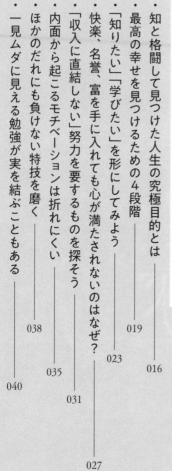

第4章 人間関係のあらゆる悩みをリセット【社会・情緒的ニーズの満たし方】

第5章 「学び」こそ最高のエンターテインメント【知的ニーズの満たし方】

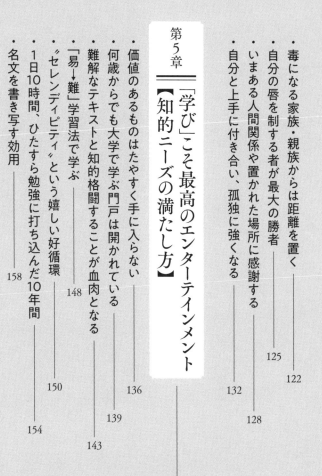

第6章 一生モノの語学力がつく！【外国語学習法】 ―― 161

はじめに

学びをはじめるのに遅すぎることはない

あなたはいま、無我夢中で取り組める何かを持っているだろうか。
出世や年収アップに役立つからという動機ではなく、心底好きで好きでたまらなくて、寝食を忘れるほど熱中しているものがあるだろうか。

2020年に世界を襲ったパンデミックにより、それまで当たり前だと思われてきた価値観がゆらぎ、ニューノーマル時代に合った生き方が求められるようになった。その結果、情報、体験、想像力、知識、教育など、複雑で目に見えないものの必要性がかつてないほど高まっている。

さまざまな価値観に触れ、幅広い視野で物事の本質に迫り、思考を深め、自分軸で人生をとらえていくこと――。これこそ本書でいう「大人の勉強」の真髄である。

その対象は、語学や科学、歴史、政治、哲学、芸術、文学など、興味があったけれど挫折したこと、以前からやりたかったけれど挑戦できずにいたこと、いままで無関心だったけれど大人になったいま、俄然興味が湧いていること。

そんな「何か」を学びはじめたり、あらためて学び直したりして、新たな知識や気づきを得ることは、ときに生き方を変えるほどのインパクトをもたらすことがある。

出世や年収アップに役に立つかは度外視し、純粋に知的好奇心を満たす「大人の勉強」をはじめると、先の見えた人生、予定調和だった毎日が輝きはじめてくるはずだ。

「人がうらやむ成功を収めていても、何か足りない」「何不自由なく暮らしているが、取り立てて好きなものが何もない」「仕事に身が入らない」「何をはじめても長続きしない」「一人では何もできない」。そんな不完全燃焼の日々を送っている人は、自分なりの視点や興味、向学心を総動員させ、情熱を注げる対象を全力で見つけよう。

なぜなら、**人間とは、金銭や名声、健康など、肉体的な欲求が満たされただけでは心から幸せを感じることができない存在だからだ。**

何かを熱中して学び、真理に精通すると、物事の「悪い側面」に振り回されることが少なくなる。考えてみれば、コロナ禍も「悪い側面」ばかりとはいえず（たとえば、新型コロナウイルスによりウイルス干渉が起こりインフルエンザは流行しなかった）、パンデミックが起こる以前も「悪いこと」は常に起こっていた。戦争、自然災害、凶悪犯罪、テロ、金融危機、リストラ、大事故……。それがこの世の常なのだ。

また、何かを学び続けている人は、嘆いても仕方がないことを嘆き続けたりはしない。彼らは自分が置かれた状況の中で常にベストを尽くしている。事実、コロナ禍でもイノベーションを起こし、華々しい活躍をしている人がたくさんいるではないか。

ここで私の心に突き刺さっている言葉を紹介したい。私のお気に入りの映画『ロッキー・ザ・ファイナル』にこんなシーンがある。「あの人が悪い、この人が悪い、あんなひどいことが起きた、こんなひどいことが起きた……」と自分の不遇を世の中のせいにする息子に向かってロッキーはこう諭す。

「お前も知っているはずだ。世の中はいつも自分が望んだことばかりが起こるのではない。嫌なことも悪いことも起こる。何もしないでいたら、嫌なことや悪いことに打ちのめされ、二度と希望が持てなくなる。人生ほど強くお前を打ちのめすものはない。だが、大切なことは、どれだけ打ちのめされてもそれにめげずに前進し続けられるかどうかだ。打ちのめされてもそれにどれだけ耐え、どれだけ前進し続けられるかだ。成功している人は皆、それをやっているんだ」（宮崎伸治による意訳）

ロッキーがいみじくも述べたとおり、「世の中はいつも自分が望んだことばかりが起こるのではない」。いつの時代であれ嫌なことも悪いことも常に起こっている。

しかし、**情熱を燃やして学び続けている人は、世の中で何が起ころうと、それにいちいち振り回されず、常にベストを尽くす。**ロッキーの言葉を借りれば、「どれだけ打ちのめされてもそれにめげずに前進し続ける」。

なぜそんなことができるのか。

それは本書で説く「大人の勉強」で自分を鍛錬しているからである。

そしてそれによって彼らは「いつも自分が望んだことばかりが起こるのではない」世の中に、自らの手で彩りを加えているのだ。

私は約9年前、外国語の文献を読むすばらしさに感電するかのような衝撃を受け、「外国語を学ぶ愉《たの》しさを伝えることを通して社会に貢献したい」というミッションに目覚めた。それ以降、まったくのゼロからフランス語、スペイン語、イタリア語、中国語の独学を開始し、その後3000日以上にわたり一日も休むことなく独学を続けている。そして現在、英語およびドイツ語を含むこれら6カ国語の小説を原書で難なく読めるようになった。

世俗的な価値観を超越した〝自分が価値あると認めること〟に目覚めたからこそ、真摯に情熱を注いでこられたと思えるのだ。そしてようやくいま、9年前に目覚めたミッションがさまざまな形で現実化しはじめている。

情熱を燃やせるものが見つかれば、片時も忘れることなくそれに〝恋い焦がれる〟ようになる(事実、私は3000日以上にわたって一日たりとてその思いが色褪せたことはない)。だからこそ**他人の評価や世の中の出来事に振り回されることなく、〝自分が価値あると認めること〟に一つ一つ取り組んでいくことができる。そしてその過程でモノトーンな世の中に彩りをもたらし、鮮やかな自分だけの人生を力強く進んでいけるのだ。**

本書はそのための方法を説いたものである。学びは何歳からでもはじめられ、いつはじめても遅すぎることはない。年齢は関係ないのだ。

本書が読者の方々の毎日を彩るきっかけとなれば幸いだ。

宮崎伸治

２０２１年　12月吉日

第 1 章

「大人の勉強」で人生が変わる！

知と格闘して見つけた人生の究極目的とは

私は現在、執筆家・翻訳家として活動する傍ら、副業や投資で生計を立て、外国語学習者のための検定機関の運営をライフワークとしている。

かつては60冊もの著訳書を出版していたが、40代はじめのころ、さまざまな理由から出版業界と決別し、10年もの間お金を稼ぐことは一切していなかった(拙著『出版翻訳家なんてなるんじゃなかった日記』に詳述)。

「無職10年」とはいっても、その間さまざまな大学で学問に励んでいたのだから遊び呆けていたわけではない。**高校卒業後に入った大学では経済学、脱サラ後29歳で入った大学院では言語学を専攻し、40歳を過ぎてから工学、哲学、法学、商学、神学とそれまで学んだことのない学問分野に打ち込み、さまざまな角度から真理を追究し続けた。**そしてその過程で私は私なりの幸せになる方法を見つけたのである。

「幸せ」と一口にいっても、さまざまなレベルがある。高収入が得られることを「幸せ」という人もいるだろうし、地位や名声を得ることを「幸せ」だと思う人もいるだろう。人によって「幸せ」の定義は異なるのだから、私が定義する「幸せ」を万人に押し付けようとは思っていない。私は私なりの「幸せ」があり、それをつかむ方法を見つけたといっているにすぎない。

ただそれは、他人からちょっとやそっと批判されて揺らぐような代物ではない。それだけ確固たるものを見つけたと思っている。

世俗的な価値観でとらえると、私のこの無職期間を「失われた10年」ととる向きもあるだろう。働きに出ることもなく、ゆえに社会にも貢献することもなく、ただ貯金を切り崩して勉強していただけだからだ。しかしこの年月は私にとって**人生を大きく変えた「最も輝かしい10年」だった**と思っている。

では、私なりの幸せになる方法とは何か。

ギリシャの哲学者・アリストテレスは人間の究極目的は「エウダイモニア」だといった。私も**「エウダイモニア」こそ人生の究極目的であり、かつ人生最高の幸せだ**と思っている。そして幸運にもその究極目的を見つけられた人は、もはや金や地位や名誉にはそれほど興味がなくなる。なぜならその何十倍も価値あるものを手に入れているからである。

では「エウダイモニア」とは何か。

日本語では単純に「幸福」と訳されることが多いが、より正確に訳すとすれば「人間のすべてのすぐれた特性と価値ある活動が充分にその真価を発揮するような人生」となる。

自分の持ち味を最大限発揮し、それを通して世の中の人に喜んでもらう、これこそが「エウダイモニア」であり人生最高の幸せなのである。

そのことに気づいた私は、自分も「エウダイモニア」を目指すことを決意した。しかしいきなり達成することはできない。それはコツコツと努力に努力を積み重ねた後にはじめて達成できるものであり、その道はたやすくはない。長く険しいが、何物にも代えがたい至上の喜びになるのだ。

最高の幸せを見つけるための4段階

では、どうすれば「エウダイモニア」が達成できるのか。ここで私が考える「エウダイモニア」達成までの道すじを述べてみよう。

第1段階は、安心して生きて行ける収入を確保することである。 これなくしてはエウダイモニア達成などありえない。どんなに才能があっても安心して生きて行ける収入がなければ、ほかでお金を稼がなければならないから才能を開花させるどころではなくなる。

ただし、安心して生きて行ける収入さえ確保できれば、それ以上のお金を稼ぐ必要はない。余分なお金を稼ぐことにエネルギーを費やすより自分の才能を開花させることにエネルギーを費やしたほうが「エウダイモニア」に近づけるというものだ（ただし自分の才能をフルに発揮した結果としてたくさんのお金が入ってきたというのであればそれはそれで「エウダイモニア」を達成したことになる）。

すでに安定した収入を確保できた人は、**第2段階として「レジリエンス」、つまり困難**

や脅威に対して適応できる力を養おう。

たとえば、野球、サッカー、将棋、ダンス、芸能などに秀でたいと夢見ている子どもたちはごまんといる。しかしそのほとんどは大人になる前にその夢を諦めてしまう。期待していた結果がなかなか得られず努力することが嫌になってしまうからだ。

成功者の言葉に「努力は嘘をつかない」というのがある。しかしほとんどの人はちょっと理不尽なことにぶつかると「努力は嘘をつくこともある（努力しても期待どおりの結果が得られないことがある）」ように見えてしまい、それが原因で早々に挫折してしまうのだ。

しかしここで思い起こしてほしい。この世は完全な世界ではなく、人間が作り出した不完全な世界である。だから間違いも起こる。不公平なことも起こる。起きてはならないことも起こる。そんなときにいちいち「こんなの理不尽だ、バカバカしい、やってられない」などといって挫折していては、「エウダイモニア」は達成できない。成功者は皆、大なり小なり理不尽な出来事を乗り越えており、逆にいえばそうでなければ成功者になどなれはしない。

なお、何事に対しても最初から過剰な期待をかけることなくフラットに現状を受け止めるようにすると、理不尽な出来事を乗り越えやすくなる。

第3段階は困難を通して自分を磨き続けることである。そのために大別して2つの方法がある。

1つは努力を要するもの（勉強、読書、語学学習、スポーツなど、達成に困難を伴うもの）を通して自分を磨くことである。その過程を通じて、ちょっとやそっとでは他人に真似できない自分の持ち味が身につく。好きなことなら何に打ち込んでもよいが、努力を要するものでなければならない。なぜなら**簡単なことならだれにでも真似できるし、だれにでも真似できることでは自分の持ち味にならないからである。**私が40歳を過ぎてからさまざまな大学で学問に打ち込んでいたのは、まさにこの第3段階の「自分を磨く行為」だったのである。

もう1つは節制する習慣を身につけて欲望を抑えることである。ではなぜ欲望を抑えることが必要なのか。それはどんな才能の持ち主であっても欲望に振り回されていればそれが足を引っ張ることになるからだ。

せっかくすばらしい才能があるのに、一瞬の欲望に負けたがために転落してしまい、エウダイモニアへの道が閉ざされてしまう例は少なくない。そうならないためにも欲望を抑える節制の習慣を身につけなければならないのである。

第４段階（最終段階）は、自分の持ち味を生かして社会に貢献することである。せっかく技を磨いても自分だけのものにしていてはエウダイモニアは達成できない。やはり他人に喜んでもらってはじめてその真価が発揮できるというものだ。

とてもおいしいフランス料理が作れる腕があるのに、他人には絶対に食べさせないフレンチの料理人、世界中を感動させるピアノの腕があるのに人前では絶対に演奏しないピアニスト、画期的な発見をしたのにどこにも発表しない科学者を想像してみてほしい。なんともったいないことをしていると思わないだろうか。やはり自分の持ち味は他人に喜んでもらってこそ、その真価が発揮できるのであり、そうすべきなのだ。

本書では、エウダイモニアを達成するための強力な手段として「大人の勉強」への乗り出し方を説いている。

「大人の勉強」をはじめると、第２段階の「レジリエンス」が養え、第３段階の「困難を通して自分を磨く」ことができるようになる。

そしてついには、第４段階の社会貢献へと到達することができるのだ。

「知りたい」「学びたい」を形にしてみよう

「勉強」というと、「勉強が嫌いで授業が苦痛だった」とか「理数科目が苦手で赤点をとった」とか「受験で失敗して希望の大学に行けなかった」など、成績にまつわる「つらい」「キツイ」「大変」というネガティブなイメージで語られることが少なくない。

勉強の定義を辞書で引くと、次のように説明されている（『日本国語大辞典』）。

① 努力をして困難に立ち向かうこと。熱心に物事を行うこと。励むこと。

② 気がすすまないことを、仕方なしにすること。

③ 将来のために学問や技術などを学ぶこと。学校の各教科や、珠算・習字などの実用的な知識・技術を習い覚えること。学習。また、社会生活や仕事などで修業や経験を積むこと。

④ 商品を安く売ること。商品を値引きして売ること。また、比喩的に用いて、大目に見ること。おまけをすること。

しかし、そもそも勉強とは何か。テストで高得点をとるための勉強だけがすべてではないはずだ。「知りたい」「学びたい」という知識欲を満たし、面白くて愉しくてワクワクするような、心底打ち込めるようなもの、いまから勉強し直すことで新しい人生を切り開いてくれるものがあるはずだ。

本書では、そんな「勉強」について説いてみたい。学ぶことが愉しくて面白く、しかも「人生最高の幸せ」につながる可能性を秘めており、「Big Why（一体なぜそれをするのか＝努力を要するものなのにあえて行う理由）」を認識したうえではじめることなので、他人から見れば大変そうなことでも本人は大変どころか愉しくて仕方がない。

子どものころに親からいわれて（あるいは周囲の期待に応えようとして点数を取るために）やった勉強や、「気がすすまないことを仕方なしにすること」とは大きく異なるため、本書で扱う「勉強」を「大人の勉強」と呼び、次のように定義したい。

「大人の勉強」とは、次の3つすべてを満たすものである。

① 好きだからというただそれだけの理由で自発的に行うもの
② 努力を要するもの
③ 自分を成長させる、または社会に貢献することを目的とするもの

好きで自発的に行うものであっても、テレビ、動画視聴、ゲーム、ネットサーフィンなどは含まない。その勉強を通じて社会に貢献ができ、成長できることがポイントだ。

また、努力を要するものであっても、デイトレードで勝つ、レバレッジを効かせて不動産投資で富を築く、宝くじの当て方を研究する、異性を口説き落とすといったことは自分の欲望を満たすことを主眼として行うものであるから、これらの行為もやはり大人の勉強ではない。

さらに、②③に合致するものであっても、収入アップにつながるとか、昇進や転職に役立つという理由ではじめる勉強は、子どものころに強制された勉強の延長線上にあるものにすぎず、本書でいう「大人の勉強」にはあたらない。それはいわゆる〝ガリ勉〟であり、小さな目標を達成したとたんにさっさと止めてしまいかねず、それが生きがいにつながることはまずないだろう。

また、「英語は好きではないが昇進の条件が「TOEIC800点だから」という理由で英語を勉強する人は、目標スコアをクリアしたとたんに勉強をやめる可能性が高い。もともと英語が嫌いなのに昇進目的でやっているからだ。こうした勉強の意義を否定するわけではないが、それは本書でいう「大人の勉強」とは異質なものである。

「勉強しないことは悪」とはいわないが、**「大人の勉強」とは好きだからというただそれだけの理由で自発的に行うものだ。**決して無理矢理やらなければならないというものではない。むしろ、その愉しさをいったん知れば、勉強しないこと自体が時間のムダに思えるほどハマってしまうはずだ。やりたくてやりたくて仕方がなくなるだろう。

語学や歴史、芸術、文学など、だれしも好きで興味をひかれるものがあるだろう。好きなことを「大人の勉強」に結びつけ、新たな展開が開けてくると、「こんな愉しいことがあったのか！」という驚きの日々が送れるようになる。

新約聖書に「種をまく人のたとえ」がある。よい土地に落ちた種は「実を結んで、あるものは百倍、あるものは六十倍、あるものは三十倍にもなった」と記されている。「大人の勉強」はまさに「よい土地に種をまく」行為であり、計り知れないほどの実りをもたらす可能性がある。

そんなすばらしい可能性を秘めた「大人の勉強」の世界に、一歩踏み出そう。

快楽、名誉、富を手に入れても心が満たされないのはなぜ？

「大人の勉強」をはじめる前に、快楽や名誉、富などについてふれておきたい。

人は快楽、名誉、富などこそが幸福の源泉だと思い込み、価値を疑うことなくひたすらそれを追い求めているかのように思える。しかし、これらを手に入れても本当に心が満たされ、幸福になれるのかは疑わしいところだ。

快楽や名誉や富は、実はこの世でしか価値のないもの（アリストテレスのいう「仮象の善」）にすぎず、「善そのもの」（節制・正義・自由・真理などソクラテスがいう「魂自身の飾り」）を犠牲にしてまで求める価値のあるものではない。

快楽は持続性がないため、ひとたび手に入れると際限なく求め続けることになる。しかも同レベルの快楽ではすぐに飽きてしまうので、どんどん刺激を強くしていかなければ興奮しなくなってしまうのだ。

地位も名誉も手に入れた有名人が、禁止薬物に手を染めて転落したり、政治家が違法献金の授受で逮捕されたりするニュースが後を絶たないが、享楽主義に陥ってしまうと快楽の奴隷になり次から次へと快楽を求めなければ満足できなくなってしまう。ほかの大切なものを犠牲にしてまで求めるものではないといえる。

また、名誉は他人によって決められるものさしで、自分がすぐれていることを確信したいがために求めているにすぎない。つまり他人に依存していることになり、それは本当の幸せとはいえないだろう。私たちが目指すべき究極目的ではない。

富は確かに何かの役に立つ。しかし、「何かそれ以外のこと」に役に立つというだけのことであり、富そのものが十分にあってもそれはそれだけのことで、それ自体が幸せを保証してくれることはない。したがって、これもわれわれが目指すべき究極の目的ではない。

これらは一見、私たちに幸せをもたらしてくれそうなものだが、実はほとんど幸せの保証をしてくれないことは、多くの不祥事や犯罪が報道されていることからも明らかだ。

快楽や富を求めることに重きを置きすぎると大切なものを見失う。なぜなら**「善そのもの」を犠牲にすれば、その代償のほうがはるかに大きくなるからだ。**

あり余る快楽や富でも心が満たされないとしたら、私たちは何を求めるべきだろうか。それこそが私たちを心から満たしてくれるものであり、最終目的なのだ。アリストテレスはこの最終目的を「最高善（ト・アリストン）」と呼び、その条件として次の3つを挙げた。

①大所高所に立つ最高能力が追求する望ましさでなければならない

②手段としてではなく、それ自身が望ましいものでなければならない

③可能性のままの状態の卓越性ではなく卓越性を現実に活動させていなければならない

①は、私流にいえば**自分の個性が発揮できる活動（doingness）でなければならない**ということだ。打ち込めるもの、熱中できるものともいい換えることができるだろう。

たとえば、「あなたの夢は何ですか」とたずねると「社長になりたい」とか「結婚したい」などという人がいる。しかしそれは到達したい状態（beingness）をいっているにすぎない。「社長になったら○○をして会社を変革し社会に△△を提供して貢献したい」とか「結婚したら配偶者とともに○○をして△△の活動をし、役立ちたい」といった自分の個性が発揮できる活動（doingness）を思い描いているなら別だが、そうでなければその状態に達した瞬間に目標が消滅するだろう。

あるいは、「難関国家試験に合格したい」とか「投資用の不動産を所有したい」といった夢を語る人がいる。しかしそれは所有したいモノ（havingness）を語っているにすぎない。それらを手に入れた後、「○○をして社会に貢献したい」といった自分の個性が発揮でき

る活動（doingness）を思い描いているのなら別だが、そうでなければそれらのモノが手に入ってしまえば、そこで目標が消滅するだろう。

一方、自分の個性が発揮できる活動（doingness）を見つけた人は、次から次へと新しい挑戦に挑んでいけるから人生が色褪せることがない。挑戦に次ぐ挑戦で常に新しい自分を発見するだろう。「大人の勉強」はそれを可能にしてくれるものである。

②の意味は、たとえば本当は勉強したくないのに昇進や進学、就職のために仕方なくしているとしたら、それは**「手段」として勉強しているにすぎず、よって「最高善」とはいえないということだ。**その何かが得られた瞬間その勉強に興味がなくなることだろう。

③は、心理学者アブラハム・マズローのいう「自己実現（才能・能力・可能性の使用と開発）」とほぼ合致している。**自己実現している人々は、自分の資質を十分に発揮し、なしうる最大限のことをしているが、それこそ最高善といえよう。**逆に、たとえば歌手や作家、画家、スポーツ選手、棋士、発明家として大成できる潜在能力があるのに、それを眠らせたままにしている人は「最高善」に到達しているとはいえない。

人それぞれにはそれぞれの持ち味がある。その潜在能力を開花させ、「最高善」を手にしたときにはじめて心から満たされる。それを可能にするのが「大人の勉強」なのだ。

「収入に直結しない」努力を要するものを探そう

さて、「大人の勉強」をはじめると決めたはいいが、どんなものが取り組む対象になるだろうか。好きなものをどうやって見つければいいのかがわからないときは、外的報酬が得られるかどうか（お金が儲かりそうだとか、周りの人に褒めてもらえそうだとか、将来何かの役に立ちそうだなど）という色眼鏡を外し、**心からやってみたいと思える「努力を要するもの」を探してみることだ。**

外的報酬を得ることを第一に考えてしまうと、その時点で「好きだからというただそれだけの理由でやる」ことが難しくなる。

私は自分自身の体験から「収入に直結しないもの」という観点で探すことをおすすめしたいくらいである。なぜなら、もしそれを続けられるとしたら、「好きだからというただそれだけの理由でやる」という証になるからである。

好きなものがなかなか見つからないという人は、意識して興味のありそうなものに当たってみよう。**学生時代に少しかじったが途中で挫折したこと、ずっと前にやりたいと思っていたが忘れかけていたこと、興味の周辺にあるものから探ってみてもいいだろう。**たとえば、次のようなものを取っかかりにすると見つけられるかもしれない。

・通信教育で学べることを探してみる。
・趣味の団体を探してみる。
・チャレンジしてみたい資格試験を探してみる。
・雑誌や新聞などで成功している人の体験談を読んでみる。
・各種学校やカルチャースクールで学べることを探してみる。
・情報誌で作品を公募をしている情報を探してみる。
・大学の通信教育課程や社会人講座で学べることを探してみる。

見つけようと意識してアンテナを張り巡らせていると、必ず引っかかるものに出合えるはずだ。「もしかするとこれかもしれない」と思えるものが見つかるかもしれない。

テレビのドキュメンタリーやインターネットでは、さまざまな分野で活躍している人が紹介されている。また、ある雑誌では次のような例が紹介されていた。

40代の例として、大学院で博士号取得、マインドフルネス瞑想、和裁の勉強、ヨガ資格取得、保育士試験合格、がん化学療法看護認定の看護師など。

50代の例として、CFP（サーティファイド・ファイナンシャル・プランナー）やキャリアコンサルタント資格取得、俳句と短歌、電気工事士、芝居とダンス、ボイストレーニング、太極拳など。

こうした人たちの体験談を読むと、心からやってみたいと思える「努力を要するもの」が見つかるかもしれない。見つかったらしめたものだ。早速着手してみるといいだろう。

私はイギリスのロンドン大学哲学部を遠隔教育(distance learning)で卒業している。ロンドン大学とは、150年以上の歴史のあるカレッジ制の連合大学だ。

私がこの大学で学ぶきっかけとなったのは、受講生のブログを読んだことだった。そのブログを通して、入学申し込みから卒業まで一歩も日本から出ることなく(東京在住の私は東京から一歩も出ることなく)、正規の学位が取得できる教育制度、しかも手の届かない学費ではないことを知り、俄然やる気になったのだ。

後述するが、私は慶應義塾大学文学部の通信教育課程(哲学専攻)を卒業しており、哲学のすばらしさはその過程で知り、卒業後はロンドン大学で英語を通して哲学を学んでみたいと思ったのだ。そのときの胸中はというと——

卒業するのは難しいかもしれないがチャレンジしてみる価値はある。ダメ元だ。中退したとしても失うものは何もない。よし、やってみよう！――

ただひたすら「チャレンジしたい！」という強い思いに突き動かされて行動したにすぎない。

こうして私は好きなものを探し、好きなものを見つけ、好きなものをやり通すことができた。好きだからという理由だけで「努力を要するもの」をやり遂げたのだ。お金儲けにはつながらなかったが、それ以上に価値のあるものを得たと感じている。

それは、**自分が価値あると認めたものに対して、自分で自発的に目標を設定し、途中で投げ出さずに最後までやり通したという自信である。**

私はこの経験を通して、私は自分が価値あると認めてはじめたことは、ちょっとやそっとのことでは投げ出さない自信がついたのだ。

好きなものが見つからない人は、心からやってみたいと思える「努力を要するもの」を探そう。

内面から起こるモチベーションは折れにくい

私は現時点で133種の資格を保有している。同じ検定試験の異なる級を複数合格している場合(たとえば、英検1級、英検準1級、英検2級、英検3級、英検4級の5つに合格している場合)はそれを1種類として数えているため、実際に合格した回数は133回をはるかに超えていることになる。ただし落ちた回数もハンパない。数えたことはないが、受験した回数は500回を超えているだろう。

これを知って私のことを資格オタクといって遠ざける人もいるし、賞賛する人もいる。

語学・翻訳関連の資格が多いが、経営・法学系、教養系の資格、その他と多岐にわたる(→p.37)。

語学系の資格はともかく、それ以外の資格に関していえば、私はそれでお金が稼げているわけではないし、周りに評価してくれる人がいるわけでもない。

ではなぜ私は資格取得に挑戦しているか。なぜ何度試験に落ちても心が折れないのか。

それは、ひたすら「学びたいから」という純粋な動機で勉強しているからである。数学検定でもアロマテラピー検定でも法学検定でも、「学びたいから」という動機で勉強をはじめたし、それ以外の動機はない。心理学で専門的にいうと、内発的に動機づけられているのだ。つまり、内面に湧き起こった興味や関心、意欲に動機づけられていると、モチベーションの原動力となり、行動を持続させやすくなるのだ。

純粋に「学びたいから」という動機で勉強してみると学びの愉しみが実感できる。**自ら主体的に行動するから集中力が発揮されやすく、工夫して行動を最適化するようになり、レベルの高い行動を長く続けていくことができるのだ**。その結果、成果も出やすくなるだろう。

しかも勉強していれば、副産物としてさまざまな力が磨かれる。専門知識が獲得できる以外にも、**読解力、集中力、克己心、記憶力、精神力、忍耐力、文章力、時間管理能力などが磨かれる**。それだけではない。強制されてもいないのに、受ける資格試験を自発的に探し、受験することを決め、受験申し込みをし、勉強をし、受験する、という**一連の流れをこなしていくうちに自律心もつく**。私が資格に向けて挑戦する一番大きな目的はこうした力をつけたいからである。だから試験に落ちても心が折れることはないのである。

●外国語・翻訳関連をはじめとするおもな取得資格一覧

外国語・翻訳関連

- 実用英語技能検定１級
- 国際英検1級
- 観光英検１級
- 国連英検Ａ級
- ビジネス英検Ａ級
- TOEIC（900点）
- TOEIC（SW：各170）
- TOEFL（583点）
- CASEC（882点）
- TOEFL iBT（85点）
- GTEC（687点）
- ケンブリッジ英検1st cert.
- オックスフォード大学英検上級
- 日商ビジネス英検２級
- 翻訳士資格認定試験（英和翻訳士・和英翻訳士）
- 翻訳実務士技術検定発掘試験（翻訳実務士）
- IELTS7.0
- 通訳技能検定（英語３級）
- バベル英米文学翻訳講座Ｄ級
- アレルススピーキング検定中級
- ベルリッツ英検（13.5点）
- 旅行業英検Ｂ級
- 科学・工業英検２級
- 工業英検２級
- 英文タイプ検定Ｄ級
- TWE（５点）
- ボキャブラリーコンテスト３級
- インタビューテスト2.0
- ビジネス英会話検定
- ドイツ語技能検定２級
- オーストリア政府公認ドイツ語検定B1
- 実用フランス語技能検定準２級
- TCF（331点）
- 実用イタリア語検定３級
- スペイン語技能検定４級
- 中国語検定３級
- HSK５級

経営・法学関連

- 経営学検定初級
- 法学検定（スタンダード）
- ビジネス著作権検定上級
- ビジネスコンプライアンス検定初級
- ビジネス実務法務検定２級
- 知的財産検定２級
- 知的財産管理技能検定２級
- 著作権登録指導員
- 知的所有権管理士
- 日商簿記検定３級

教養関連

- 書道初段
- 漢字検定１級
- 数学検定準２級
- 世界遺産検定２級

その他

- 危険物取扱者丙種
- 危険物取扱者乙種第4類
- 上級救命士
- アロマテラピー検定２級　ほか

ほかのだれにも負けない特技を磨く

あなたにはほかのだれにも負けない特技があるだろうか。たとえば、「100人中1番になれるもの」を持っているだろうか。英語、数学、歴史、ピアノ、絵画、書道、ダンス、プログラミング、法的知識、スポーツ、何でもいい。ちょっとやそっとでは人には負けないというものがあるだろうか。

アリストテレスは「**幸福であるためには究極的な卓越性（アレテー）が必要である**」と述べ、「幸福のために決定的な力を持つものはやはり卓越性に即しての活動にほかならない。（中略）卓越性に即しての活動ほどの安定性を持つものはない」とも述べている。

卓越性を身につければ、それは他人に簡単には真似できないのであるから存在が際立つ。代替の利かない人物になれる。そしてその**卓越性を生かせる場を見つければ、それだけ社会に貢献でき、その結果社会から重宝され、なくてはならない人材となる。**ぐんと生きがいのある人生に近づけるのだ。

ただ、どんな卓越性であれ、人間が生まれつき開発されているということはない。だれでもそれは訓練を重ねてはじめて開発されるのである。だとすれば、その訓練（すなわち「大人の勉強」）こそが最強の「武器」であることは容易に理解できるだろう。

目標が決まったら、まずは自分の実力がどのくらいかを客観視することからはじめよう。そして自分の実力が5なら、いきなり10を目指すのではなく、6を目指そう。**一足飛びに大きな夢を望むのではなく、一段一段実力をつけていくことで究極的な卓越性へと導いてくれる。**

卓越性を身につけるためには勉強が必要なのであり、お金も権力も社会的地位も卓越性を身につけさせてくれはしない。それどころか安定性という点では卓越性にはかなわない。

勉強の愉しさを知り、自ら進んで勉強する姿勢を貫こう。

「大人の勉強」をはじめて、100人中なら1番になれるものを作ろう。それがあなたを大きく飛躍させてくれる。

一見ムダに見える勉強が実を結ぶこともある

私は7つの大学・大学院を卒業・修了し、多くの資格試験に合格しているが、大学で学んだことや資格が実益に結びついたと感じたことはない。一見実益に結びつきそうな有名大学に入るときも、それらの大学の学位を収入アップに結びつけようと目論んでいたわけではなかった。

なぜこれだけ多くの大学や大学院で学んだのかというと、**一見実益に結びつかない〝ムダに思える勉強〟こそが人間としての幅を広げ、ひいてはそれが幸せにつながる**と信じているからである。教養を身につけたかったからといい換えてもいい。

7つ目の大学を卒業して以来、ずっと年収は低いままなので、客観的に見れば「学業が実益に結びついた」とはいいがたいが、人間としての幅は広がったという自負はある。

大学で学ぶことに関して哲学者・鷲田小彌太氏は、色々な若者と付き合った自らの体験をもとに「大学をともかくも出た人と、優秀だが大学に行かなかった人とを比較すると、ほとんど勉強しなかった人でさえ、大学に籍をおいたというだけでも、スタンスの取り方や構えがわかるほどには、大きめなのである」と述べている。

実益はともかく、大勢の若者を観察する中で、大学で学ぶことで目に見えない何か大切なものが得られることがうかがい知れる発言である。

事実、大学では仕事に直結する技能を教えることは少ない。たとえば、哲学も神学も文学も仕事に直結することはほぼないだろう。外国語にしても、その言語が必要とされる職場に就職しないかぎり、一生懸命やるだけムダだと思う人も多いだろう。こうした知識はまさに「無用の長物」である。しかし実はそれこそが人間の幅を広げるものといえるのである。

私の例で説明しよう。私は青山学院大学で第二外国語としてドイツ語を履修した。当時は必須科目だからというだけの理由で勉強したのでドイツ語をマスターしたとはいえないまま卒業に至った。しかし英語とドイツ語がひじょうに似た言語であることや、真剣にドイツ語をマスターしようと思えば、ゼロから英語を学ぶ労力の5分の1くらいですむだろうということがわかった。それはそれで大きな収穫だったのである。

青山学院大学卒業後、私はドイツ語でお金を稼ぐ仕事をしたことがないのだから、お金儲けしか関心のない人から見れば、私がドイツ語を学んだことは「無用の長物」としか思わないだろう。

しかしその後20年以上たってから、「ドイツ語は英語の5分の1の労力でマスターできる」と感じたことを思い出し、ひょんなことからドイツ語の勉強を再開した。その後、これならヨーロッパの言語も簡単にマスターできそうだと気づき、フランス語、スペイン語、イタリア語の勉強をはじめ、さらに中国語も「漢字は日本語と共通するから学びやすいだろう」と推測して中国語にまで広げた。

その結果、なんと57歳でこれらの外国語能力が求められる職場に転職できたのである。待遇も申し分ないし、何より自分の得意技である外国語が仕事で生かせるのが嬉しい。転職目的で英語以外の外国語の勉強をしていたわけではないが、その一見ムダに思える勉強が転職に役立った。種をまき続けていた私にチャンスが巡ってきたというわけである。

もし私が高校を卒業してすぐに就職していれば、おそらく英語以外の言語を学ぶ機会はなかっただろうし、学ぼうという動機も生まれなかっただろう。「ドイツ語なんて勉強して何になるの？」と最初から勉強すらしなかっただろう。しかし青学大時代にドイツ語をかじった経験が中年以降にひょんなことから開花し、それが仕事に生かせる展開となった。

これこそ鷲田氏のいう、大学に籍をおくことの効用なのではないかと思うのである。
「いまどきの学生は使いものにならない」といいながらそのくせどこの会社も採用に当たっては大いに学歴を気にするという現実からも、企業側もその「無用の長物」の効用を認めているといえよう。

仕事に必要な勉強はどんどんするといいだろう。しかし、それだけでは足りない。それ以外にも**興味のあることがあれば、役に立つかどうかなどは度外視して、どんどんトライしてみよう。実はそのような一見ムダに思える勉強こそが、あなたの人間としての幅を広げてくれることもあるのだ。**

他人から見て「無用の長物」にしか見えない勉強であっても、自分自身が関心を持ち、興味を深めたいなら、それで十分取り組むに値する。何かのきっかけで仕事に生かせる日が来るかもしれないし、そもそも興味があってはじめることであるから、生涯にわたって愉しみ続けることができる。そんな**興味の湧く分野に出合えれば、人生が何倍も愉しく、このうえなく輝きはじめるに違いない。**

夢の実現までの〝クリティカルマス〟を知る

好きなものが見つかっても、夢を実現するには莫大な時間・労力・資金がかかる。その道のりがあまりにも長いので途中で心が折れて諦めてしまうことも多い。

配偶者が協力してくれない、仕事が忙しくて時間が取れない、やってもやってもなかなか進展が見られない、何度やっても失敗する、いくらやっても成果が上がらない、自然災害に見舞われた、両親の介護が必要になった、自分自身が病気になった……。途中で諦めてしまう理由はいくらでもあるだろう。

しかし簡単に心が折れて諦めてしまうようではいつまでたっても夢を実現することはできない。

私は、**夢が実現するまでの「努力の量」は決まっており、だれでもその「量」をこなしさえすれば夢は実現する**と信じている。

私の理論では、「成功までのクリティカルマス（成功するまでに必要な修練の量）」というものがあり、ある一定の修練を積み重ねれば、成功を手にすることができるのだ。クリティカルマスとは社会学でいう「物事の普及・定着率が一気に跳ね上がる限界値」のことだ。

その方法とは、自分にノルマを課し、一つ一つ達成していくことである。これによって自分の身の回りで起こる出来事に左右されない精神力が磨かれる。自分で決めたことが守れるようになる。つまり、心が折れなくなるのだ。

自分にノルマを課す際のポイントは自分が達成できそうなノルマを課すことである。その際、自分の経済的基盤、健康、時間、経験値、能力などすべてを考慮し、達成できる可能性が少なくとも50％を超えているものにしよう。

最初から極めて困難なことを自分に課して、すぐに計画倒れしていると自分自身への信頼に傷をつけることになる。やがて「私はやろうと思っていたことが何も実行できない」と心の底で思うようになり、いつも計画倒れするような無謀な計画を立てるようになる。そして計画を立てることそのものがバカらしくなるだろう。「どうせ守れない」と自分でも思ってしまうからだ。

私は若いころから自分にさまざまなノルマを課し、それを実行してきたが、これによって「自分で決めたことは自分で守れる」という自分への信頼が強固なものとなり、次々と夢が叶うようになった。

たとえば、私は20代のころ、英語の原書を1日最低10ページ以上読むことを自分に課していた。英語力を磨くためである。青山学院大学を卒業した直後に勤めた職場は英語とは無縁の職場だったが、将来、英語が生かせる職場に転職したいと強く思っていた。英語が必要とされない職場にフルタイムで働きながら英語力を磨くにはどうすればいいか。英語をコツコツと勉強していく以外に方法はない。そこで私は1日最低10ページ以上、「どんなことがあっても」英語の本を読むというノルマを自分に課した。

1日10ページを読むことはそれほど難しいことではない。英語が好きな人ならだれでもできることだろう。しかしそれを毎日続けるというのはなかなかできるものではない。残業で帰宅が遅くなった日も10ページ、気分が乗らない日も10ページ、友人と遊びに行った日も帰宅後に10ページ、正月に帰省していても10ページ、体調不良でも10ページ……。1日では10ページにしか過ぎないが、毎日やれば1カ月で最低300ページは読むこととなる。調子のいいときは1日10ページ以上読むこともあるわけだから1カ月に500ページ読む月も出てくる。これを何年も続けていれば、相当のページ数を読むことになる。やがてある一定の量に達したとき、私は翻訳家になっていたのである。

ちょっとやそっとのことで心が折れないようにするには、自分で自分に課したノルマを一つ一つ達成するといいだろう。

気分が乗ったときに頑張るとか、何の障害もないときに猛烈にやるなどといっていても、そんな日など人生にそんなにたくさんあるものではない。だから気分が乗らない日も、障害がある日でも変わらずコツコツやっていくしかない。**「成功までのクリティカルマス」を積み上げることで周りに何が起きようともびくともしない自分が築き上げられる**はずだ。

目標は期限とセットで決める

目標を設定するとき、まずは思いつくままにやりたいことをたくさんリストアップしてみよう。出尽くしたら、その中からとくに重要な目標を1〜3つ程度に厳選し、このとき同時に目標を達成する期限も決めてしまおう。**期限のない目標を掲げても、いつまでたっても達成することはできない。**

イギリスの政治学者、シリル・ノースコート・パーキンソンが提唱した第一の法則に「仕事量は完成のために与えられた時間をすべて満たすまで膨張する」とあるが、期限を決めておかないとずるずると後回しにし、時間をあるだけ使ってしまっていつまでたっても終わることはない。なるほど、締め切りのある仕事は必死になって期限内に仕上げようとするが、締め切りという縛りがなければ仕事がはかどらないばかりか、仕事の質も低下してしまうだろう。

「1年以内にこの資格を取得する」「3カ月以内にこの歴史書を全巻読破する」「1カ月以

内にこの曲を弾けるようにする」など、できるだけ具体的な期限を決めてからスタートすると、実現しやすくなる。

そして目標を決めたら、1日5分でもいいから毎日必ずそのための勉強をすることだ。やる気はあってもついついおっくうになり、ずるずると着手するのを遅らせているうち、いつの間にかやめてしまっている状態を作らないためだ。

やらなければならないことに圧倒され、何から手をつけていいかわからないときは、何でもいいからすぐ終わる簡単なことから取り組んでみよう。

ときにはテキストにさらっと目を通すだけでも、単語を1語だけ覚えるだけでも、関連する音源を聴くだけでもいいだろう。とにかくすぐに完結する簡単なことを欠かさず続けてみることだ。その行為自体がきっかけとなって勢いをつけてくれるはずだ。

「習慣は第二の天性」というが、ルーティンに組み込み、日々の勉強が無理なく継続できれば、1年、2年とたつうち、驚くほどの実力がついていることが期待できるのだ。

複眼的な視点を身につけると人生が豊かになる

私は多くの大学のさまざまな分野で学んだ。それは経済学、法学、商学、文学、言語学、工学、哲学、神学と多岐にわたる。文系理系を横断する学部で学んだことにより、複眼的な視点を持つことに役立ったと思えることが多々ある。

最も衝撃的だったのが「大学と環境」という講義だった。文学者、倫理学者、経済学者の異なる3分野の専門家が交代で「環境問題」を論じる形で講義がなされたのだが、当然ながら、文学者と倫理学者と経済学者ではそれぞれひじょうに異なった見方をしていた。文学者が論じているときは、確かに彼が論じるとおりのように思え、倫理学者が論じはじめると、文学者が論じていたことは倫理的な視点が抜けているのではないかという気がしてきた。さらに経済学者が論じはじめると、文学的視点や倫理学的視点だけでなく経済学的な視点も無視できないのではないかという気がしてきたのである。

この講義が終わったときに悟ったことは、**同じ「環境問題」を考えるのでも一つの観点**

からだけではなく、複数の観点から考えたほうが、よりバランスのとれた(いい換えれば、無理のない)結論に達することができるのではないかということだった。

このように一つのテーマを複数の学問分野から考察することを学際的研究というが、これが必要なのは、あまりに専門化、細分化が進んだ学問分野のみでは対処できない問題が社会に噴出しているからである。たとえば、公害問題や平和問題、宇宙開発などでは学際的研究が成果を上げているといわれている。

大学の講義で、「あるノーベル経済学賞を受賞した経済学者の理論は現実には理論どおりにならなかった」といった話を耳にしたことがある。これなども一つの学問分野だけでは不十分になりかねないことがうかがい知れる。現実に即した真理に到達しようと思えば、〝複眼〟を持ったほうが望ましいこともあるし、それは学問だけでなく世の中のありとあらゆることについてもいえるのではないかと思うのである。

その後、私は法学と商学、哲学と神学を学んだのだが、新しい学問分野に乗り出すたびに感じたことは、それまで取っつきにくいと思っていた学問分野でも**実際に勉強をはじめてみると必ず新しい発見や気づき、興味に出合え、新たな視点が得られることで思考が無限に広がり、人生が豊かになることが実感できたということだ。**

世界的ベストセラー『7つの習慣』に学ぶこと

読書が「大人の勉強」の第一歩となることは明白だ。**名著との出合いは深い喜びをもたらし、ときに人生を変えるほどのインパクトがある。**多くの名著によって励まされたり、目標が明確になったり、行動の反省点が見つかったりすることは枚挙にいとまがない。何百冊もの名著がまさに私の人生を変えたといえる。

そしてその中から「ベスト3」をあげるなら、私は迷うことなく、『7つの習慣』『7つの習慣 最優先事項』（以上、スティーブン・R・コヴィー著／キングベアー出版）、『新約聖書』を選ぶ。それほどこれらの名著が私に与えた影響は絶大で、いまなお多くの気づきをもたらしてくれる。

『7つの習慣』は、ビジネス書としては世界最高のヒット作であり、著者のコヴィー博士は英国の「エコノミスト」誌によれば、世界で最も影響力のあるビジネスの思想家として評価されている。成功者には「7つの習慣」があると説き、ビジネスに限らず会社、家庭、人間関係など、人生のすべての大切な側面を取り上げている。**人生を充実させ、本当の成功と幸せを実現するために身につけるべき原則を体系化した実践的人生哲学だ。**激しい変化の時代の指針を示す本としていまなお多くの人に読まれている世界的ベストセラーである。

私がはじめてイギリスでこの本の原書に出合ったときは、「こんなすばらしい生き方があったのか！」と驚愕し、「この本を日本語に翻訳して紹介したい」という思いがすぐさま湧くほどの衝撃を受けた（同書はすでに他の翻訳者が担当することが決まっており、私が担当することはできなかった）。

そしてその数年後、私は同書の第二弾である『7つの習慣 最優先事項』の翻訳を担当するという僥倖に恵まれた。こちらは、成功する人が持つ7の習慣のうちの1つ「時間の使い方の習慣」に特化して紹介した本である。**成功者は、最も重要なことを一番最初に実行するからこそ、時間を有効に使えるのであり、その結果さまざまな成果を上げられると説き、時間管理に多くの示唆を与えてくれる。**いつも時間がないと嘆く人は、重要でないことを最初にやっていないか自問し、重要なことを真っ先に計画・実行することをすすめている。

『新約聖書』については説明不要だろう。苦しみや悲しみは幸せの源泉であり、ふつうであることに感謝できる心こそが苦難の多い人生における幸福であると説き、多くの気づきをもたらしてくれる。私はクリスチャンではないが、人間の真理を衝いたこのうえない感動を現代人に与え続ける永久不滅の名著であると思っている。

本書にはこれらを含む古典的名著からの引用を随所にしているが、こうした名著が私の考えのバックボーンとなり、影響を受けて本書が生み出されたものであることを申し添えておきたい。

第2章

幸福度を決める「4つのニーズ」

幸せとは「4つのニーズ」を満たすこと

「大人の勉強」の究極の目標は、生きがいのある人生を目指すことだ。短期目標しか見据えていない勉強と大きく異なるのはこの点だ。

生きがいのある人生を送り、幸せになるには、人間の必要とする基本的な4つの要素を知り、それらを一つひとつ満たしていく必要がある。その4つのニーズをすべて満たしたとき、化学変化が起こり、あなたの人生は劇的に変わるのだ。

『7つの習慣』の著者スティーブン・R・コヴィー博士は、人間のニーズに関して次のように述べている。

「人間として生きていくうえで、基本的なニーズがいくつかある。人間はそれらの基本的なニーズが満たされないと空しさや不満を感じる」

ではその基本的なニーズとは何か。同博士によれば、それは肉体的ニーズ、社会・情緒的ニーズ、知的ニーズ、精神的ニーズの4つである。

● 4つのニーズのバランスが整うと幸福度がアップする

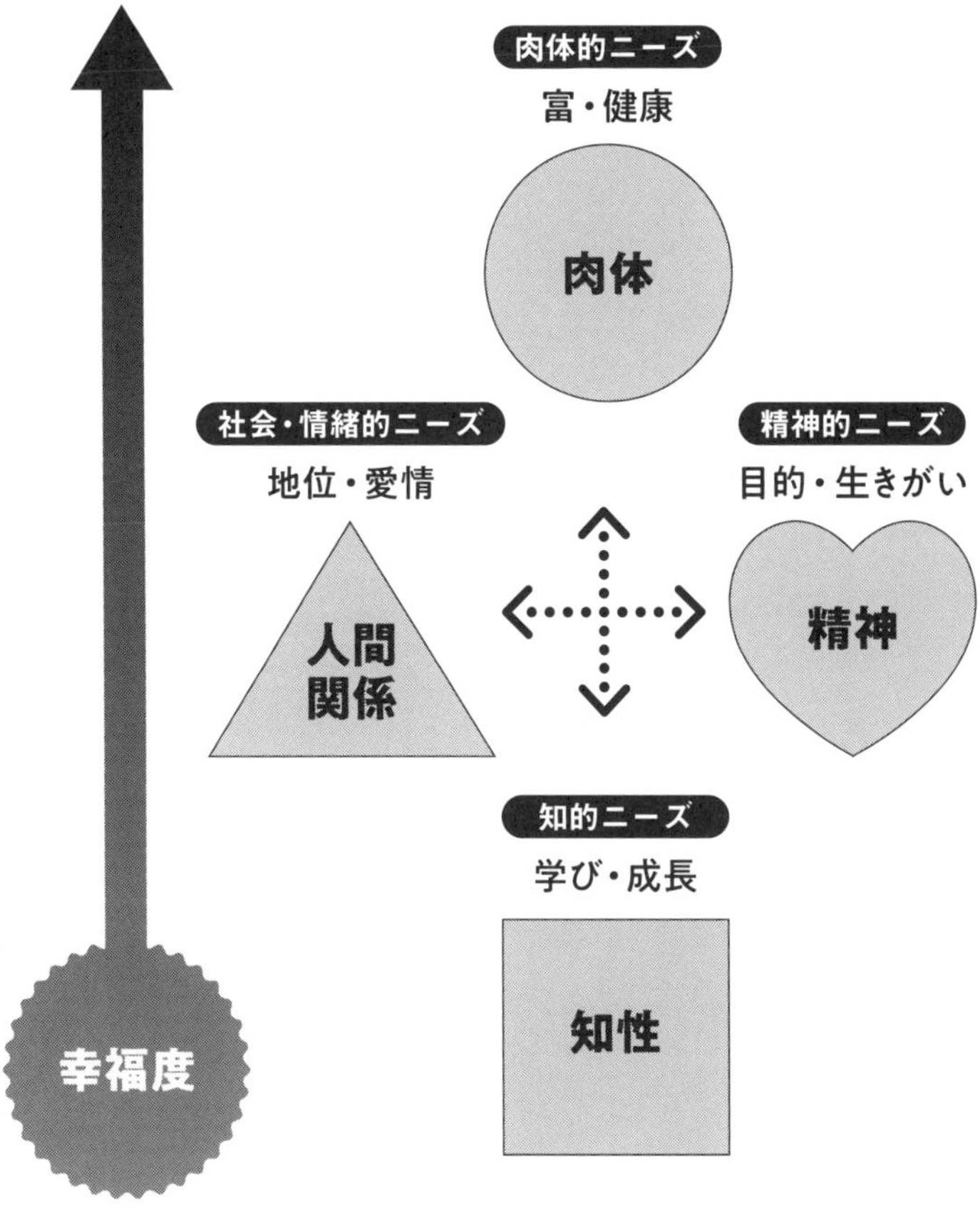

肉体的ニーズとは、生きるためのニーズである。衣食住、お金、健康など生きていくうえで必要不可欠なニーズである。病気になったり経済的に行き詰まったりするなど、一つでも欠けると人間らしく生きていくことすらできない。

社会・情緒的ニーズとは、他人と接し、帰属し、愛し、愛されるためのニーズである。私たちは家族や友人、恋人関係や社会活動など、他人と関わり、豊かな人間関係を築くことに喜びを感じる存在だ。家庭不和や離婚、リストラなどでこのニーズが満たされないと孤独に陥り、孤立し、疎外感を感じて他人といるのが苦痛になるだろう。

知的ニーズとは、学び、成長するためのニーズである。常に勉強して知識をふやしたり、さまざまな経験を積んで視野を広げたりしていると、自分の成長が実感でき、喜びを感じる。逆に、知識や経験が不足していると退屈で停滞した日常を送ることになる。

精神的ニーズとは、目的や生きがいを持って世の中に貢献するためのニーズである。私たちは、自分の才能を最大限発揮させてだれかの役に立つことに大きな喜びを感じる存在だ。自分の心を奮い立たせるような明確な目的や夢がないと、欠落感が深まり、自分の人生を主体的に過ごすことができなくなる。

私たちはだれもがこれらのニーズを持っていることを無意識のレベルでは知っている。

だから**一つでも満たされていないニーズがあると、心から満たされることがないのだ。**これらのニーズはどれも重要であり、一つでも無視してしまうと、それに足を引っ張られる。

たとえば、肉体的ニーズを無視し続けたらどうなるだろうか。いくら大志を抱いていても、金銭的に困窮したり健康を損ねたりしていては大志どころではなくなるだろう。

では、社会・情緒的ニーズを無視し続けたらどうだろうか。人間とは社会的な動物であるから、だれからも評価されなかったり、他人と衝突してばかりいたりすると、心の中はその悩みでいっぱいになってしまうだろう。

しかし、肉体的ニーズおよび社会・情緒的ニーズが満たされても、〝物足りなさ〟を感じている人がいる。社会的にも成功し、家庭も円満、財産も十分にあり、傍目にはいったい何が不自由なのかと疑いたくなるほどの人たちである。

彼らは〝物足りなさ〟を埋め合わせるために次から次へと肉体的ニーズや社会・情緒的ニーズを満たそうとする。有り余るほど財産を貯め込み、これでもかというほど人との付き合いを求める。しかしそれでも満たされないとすれば、その原因は知的ニーズや精神的ニーズが満たされていないからだろう。

彼らはいわゆる「俗物」と呼ばれる人たちであり、「好きなものが見つからない、仕事に情熱を燃やせない、イキイキと活躍している人が羨ましい、休みの日はとくにすることもなく暇を持て余している、何をはじめても長続きしない、だれかにかまってもらわないと寂しい、将来に漠然とした不安がある……」といった不完全燃焼の日々を送っている。

そんな彼らは肉体的ニーズや社会・情緒的ニーズを満たすことが幸せにつながると思い込んでいるかのようだが、肉体的ニーズ、社会・情緒的ニーズにとどまっている限り、心から満たされることはないだろう。何歳になっても「好きなものが見つからない」「定年になったらどうしよう」という不完全燃焼の日々を延々と過ごすことになるのだ。

では、そうした状態から脱却し、完全燃焼するには何が必要だろうか。

これら4つのニーズは別々なものだと思いがちだが、実は4つのニーズはお互いに関連している。再び、『7つの習慣　最優先事項』から引用しよう。

「4つのニーズをまとめて満たすことは、化学変化(化合)のようなものである。4つのニーズがまとめられ『限界質量(ある結果を得るために必要な量)』に到達すると、自然燃焼が起こる。つまり、**相乗効果の爆発により、『心の内なる炎(Fire Within)』に点火され、『ビジョン』『情熱』『冒険的人生の精神』が生まれるのである**」

「心の内なる炎」が点火すれば、人生そのものがガラリと変わる。それまでは自分の肉体

● 4つのニーズを磨き上げると「心の内なる炎」が点火する

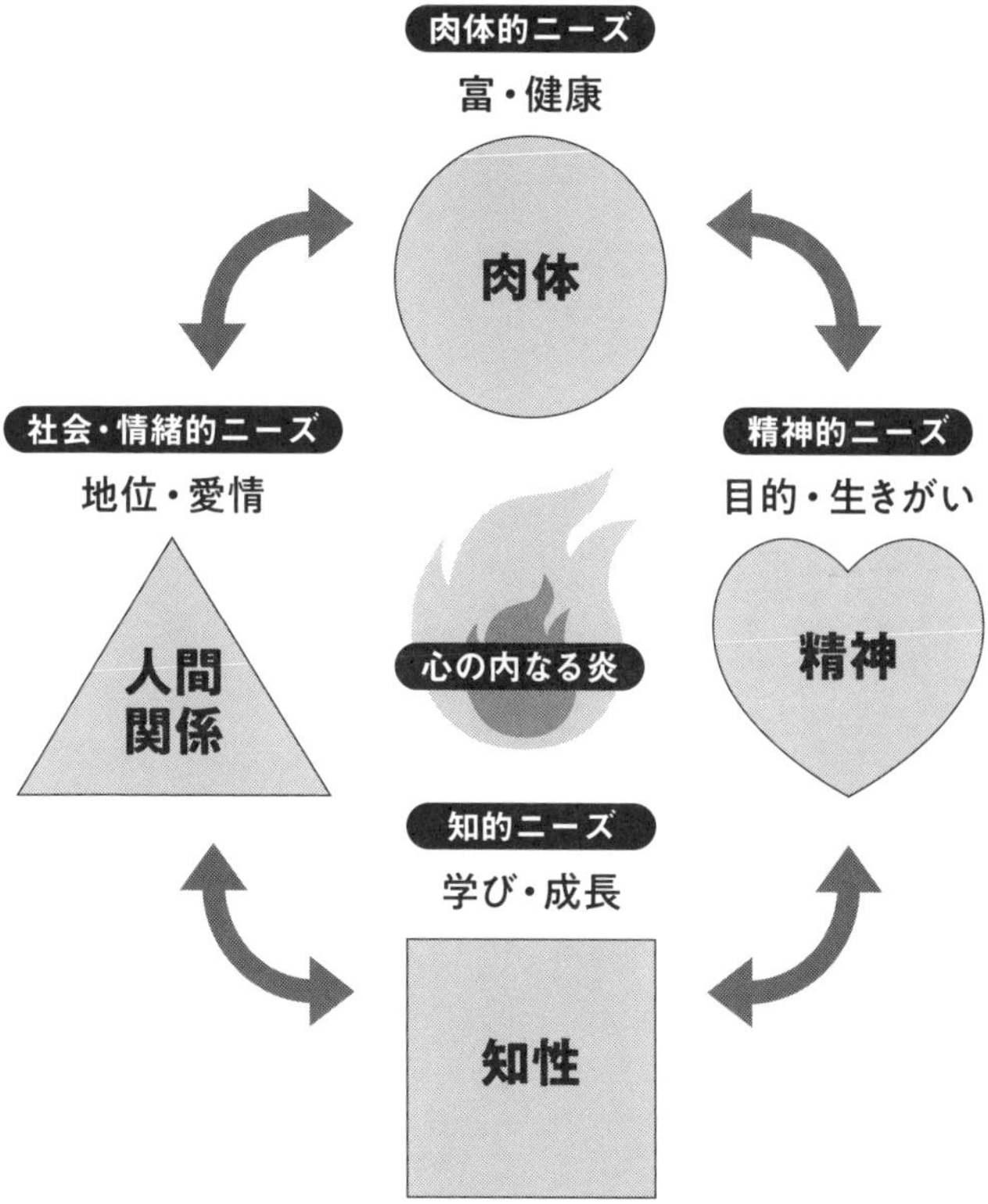

4つのニーズが満たされ、バランスよく回って高い位置でキープされると、心の内なる炎が点火して情熱が燃え上がり、絶え間なく燃え続ける好循環が訪れる

的ニーズ、社会・情緒的ニーズ、知的ニーズを満たそうとあくせくするだけの人生だったものが、**「社会に貢献したい」という精神的ニーズを満たすために、自分の持てる肉体的資源、社会・情緒的資源、知的資源を費やしたいという願いが生まれるからだ。**

「心の内なる炎」が点火するまでは、肉体的ニーズ、社会・情緒的ニーズ、知的ニーズを満たすことそのものが幸せの源泉かのように思えてくるだろう。

しかし、**「心の内なる炎」が点火してしまえば、自分の使命を遂行すること、つまり精神的ニーズを満たすことこそが自分の生きがいであることがわかり、肉体的ニーズ、社会・情緒的ニーズ、知的ニーズを満たすことそのものを究極目的とは考えなくなる。**

これらのニーズがある程度満たされていればそれで満足し、自分の使命を果たしたくなるからである。生き方が１８０度変わるのだ。

自分の〝現在地〟を受け止め、行動を起こす

では、「心の内なる炎」はどうすれば点火できるだろうか。

それは、**「自分の人生に責任を持つ」と意識することからはじまる。**

たとえ現状に不満があっても腐らず、自ら率先して改善に取りかかる意識を持つことだ。**自分の現在地をありのままに受け止め、不遇を他人のせいにするのではなく、自分自身を客観視し、自分の手で人生を動かすと決めるのだ。**これがつまり、自分の人生に全責任を持つということだ。

自分の人生に責任を持つことがなぜ重要なのか。それは、人間はそうすることによってのみ、成長できるからだ。

自分の人生に責任を持たない人は、いつまでたっても「(私がうまくいかないのは)あの人が悪い」「(この人があのときこうしたから)出世できない」と不満をいい、「(自分からは行動したくないけれど)何かいいことが偶然起きないかな……」と期待を抱くだけの人

生を歩むことになる。それでは日々起こる出来事に行き当たりばったりの反応をしているにすぎず、主体性はどこにもない。

動物を考えてみてほしい。動物は周りの出来事に本能的に反応して生きているだけだ。しかし人間は違う。どんな出来事が発生したとしても人間にはいくつかの選択肢が与えられている。本能的にAという言動に出ることもできるが、理性と知性を働かせてより賢明なBという言動に出ることもできる。Aは反応的であるが、Bは主体的だ。自分の責任において自分の言動を選択できるようになれば、その結果生じた出来事に対しても自分で責任を持つようになる。これこそ主体的な生き方である。

心から夢中になれるものが見つかり、時間がたつのも忘れて集中できるものがすでに手の内にある人は、このあとを読み飛ばして第3章へと進んでほしい。

もしそうでないなら、手を尽くして見つけよう。そのために必要なスタートが、主体的に人生を歩むと決めることなのだ。

イチローは引退会見(YouTubeで見ることができる)で子どもたちへのメッセージを求められたとき、こう答えた。

「いろいろなことにトライして、エネルギーを注げる熱中できるものを早く見つけてほしい。（中略）それが見つかれば、自分の前に立ちはだかる壁に向かっていける。（中略）それが見つからないと、壁が出てくると諦めてしまう」

これは子どもたちに向けられたメッセージではあるが、好きなものが見つかっていない人全員に対するメッセージといってもよいだろう。「稼げるからやる」「評価されるからやる」「やれといわれたからやる」「やらざるを得ないからやる」「状況を考えるとやっておいたほうがいいからやる」——。これらはすべて反応的である。

一方、「好きだからやる」は、好きという理由以外に理由がないわけだから、まさに主体的である。そして好きという理由だけで行ったことなら、だれしも自分に責任を持つはずだ。「そういわれてもそも好きなものがないから何もはじめられない」という人もいるだろう。しかし、それ自体が反応的である。

好きなものは他人が教えてくれるものではなく、自分で見つけるしかない。見つかったら、そのときこそ主体的な人生のはじまりだ。

人間は何歳になってもやれることはたくさんある。好きなものが見つかっていないという人は、いまこの瞬間に、それを探しはじめよう。

生まれてはじめて「心の内なる炎」が点火した体験

私の人生で「心の内なる炎」が点火したはじめての経験は、イギリス留学中に図書館に籠もって『7つの習慣』の原書を一心不乱に読んでいたときに起きた。私はこのときの様子を拙著『出版翻訳家なんてなるんじゃなかった日記』に書いている。その箇所を抜粋しよう。

それはその翻訳書が世に出る7年も前の話である。当時の私はイギリスの大学院に留学しており、来る日も来る日も朝から晩まで読書に明け暮れていた。そんなある日、図書館に籠って『7つの習慣』の原書を一心不乱に読み進めていくと、それまでの人生で一度も経験したことのない強烈な至高体験をすることとなった。

それは「喜びの雷」に打たれたとでもいおうか、「翻訳の神」が降りてきたとでもいおうか、まるで完全試合を達成した瞬間のピッチャーかのごとく、体中の細胞がジンジン興奮してきて爆発してしまうのではないかと思えるほどで、その興奮はその後も延々と続いた。そしてそのときに強烈に脳裏に刻み込まれたのが、自らの手で訳した『7つの習慣』が書店に大量に平積みされている映像だった。

（え？　私はまだ一冊も本を出したことがない人間である。その私が『7つの習慣』の原書を自らの手で訳して出版する？　でも今、私はイギリスにいる。帰国するのは1年以上先だ。果たしてそんなことが可能なのか？　いや、でもあまりにもリアルな映像だ。とても幻とは思えない。あまりにも鮮明で、あまりにも強烈な映像だ。そうだ！　これは「翻訳の神」が私に『7つの習慣』の原書を訳して日本で出版しろと命じているのだ。そうでなければ、こんなにリアルな映像が浮かんでくるわけはない。間違いない。私は『7つの習慣』の原書を訳す運命を担っているのだ。私がやらなければならないのだ。なぜならそれは「翻訳の神」が望んでいることだからだ。これは必ず実現することだ！）

私はそのまま図書館を飛び出して夕日に向けてガッツポーズを決め、イェーイ！と雄叫びを上げた。「翻訳の神」が降りてきた瞬間だった。

断っておくが、「心の内なる炎」が点火したといっても科学的根拠などありはしない。だが、そのときの体験は数年後に実現するイメージがありありと脳裏に浮かぶという強烈かつ神秘的なものだったし、自分の持てるありとあらゆる力を結集して成し遂げたいという思いが生じたことから、「心の内なる炎」が点火したといっていいように思う。

では、なぜ「心の内なる炎」が点火したのだろうか。

多額の印税が入ってくる(肉体的ニーズが満たせる)と思ったから「心の内なる炎」が点火したのだろうか。

そうではない。当時の私は出版翻訳家になりたいという夢は頭の片隅にはあったものの、売り込み方も知らなければ伝手《つて》もなかったので自分が出版翻訳家になれるとは露程にも思っていなかった。だから、売れそうな原書を探そうという考えはなく、自分を高めたい(知的ニーズを満たしたい)という純粋な動機でさまざまな原書を読みまくっていたのだ。そんな私が印税を意識するわけはなかった。

では、訳書を出せば訳者として周りの人々から一目置かれる(社会・情緒的ニーズを満たせる)と思ったから「心の内なる炎」が点火したのだろうか。

そうではない。くり返しになるが、当時の私は出版翻訳家になれるとは露程にも思っていなかったのだから、訳書を出したらその後周りの人たちの私を見る目がどう変わるかなど考えるわけはなかった。

では、訳書を出すことが自分の成長につながる(知的ニーズを満たせる)と思ったから「心の内なる炎」が点火したのだろうか。

そうではない。成長する方法はいくらでもある。成長したいと思うとき、訳書を出すことで成長しようと思う人は少ないだろう。私とて例外ではない。

では、なぜ「心の内なる炎」が点火したのか。

一心不乱に『7つの習慣』の原書を読んでいるとき、私はそのすばらしい思想を何が何でも日本人に伝えたい(精神的ニーズを満たしたい)という強い思いに駆られていた。その強烈な思いが私の「心の内なる炎」を点火したのだといえる。それは印税や周りの評判といったものを超越した真摯な願いだった。

それは**「私こそがその任務を遂行する人間なのだ、私がやらなければだれがやる、私が私の持てるすべての力を結集してだれよりもうまくその任務を遂行してみせる、日本の読者にこのすばらしい思想を届けてみせる」という使命感ともいえるものだった。**

いったん点火した炎は少々のことでは消えない

「心の内なる炎」が点火したとしても、イメージしたことがそのまま100％実現するという保証などないし、むしろ実現しない可能性のほうが高いだろう。しかも実現するとしても実現までの道のりはあまりにも長い。その道のりがあまりにも長いため、迂闊にだれかに夢を語ろうものなら、軽くあしらわれるのがオチである。

私の場合もそうだった。大学院のクラスメートたちが「母校の講師になることが決まっている」とか「家業を継ぐことになっている」とか現実的な将来設計を語っている中、私一人が「いい原書を見つけた。帰国したらそれを翻訳出版する」などと雲をつかむような話をしていたのであるから、嘲笑されるのも当然だ。一冊も本を出したことがない人間、しかも伝手があるわけでもない人間が、確信に満ちてそんなことを語っているのだから、客観的に見れば、相当ヤバイ奴だったことだろう。ただ私は自発的に自分の夢を語ったことはなく、相手から将来の夢を訊かれたときに正直に語っただけだったのに、嘲笑されたのは残念だった。

帰国しても私の「心の内なる炎」が燃えていることに気づく人はいなかった。家族からも理解されず、応援してくれる人は一人もいなかった。

大学院を出ているのに定職に就かず、低収入で、しかも未婚。そんな私は腫れ物にでも触るかのような扱いを受けていた。というのも家族は人を判断するとき、「定職に就いているか否か」「年収はいくらか」「結婚しているか否か」といった肉体的領域、社会・情緒的領域における判断基準しか持ち合わせていなかったからである。

そんな中、私の潜在能力をうまく引き出してくれる編集者との出会いがあり、化学反応が起こってよい作品が生まれることもあった。

かくして私は一つ、また一つと作品を生み出すことになり、16冊目の著訳書である『7つの習慣』の第二弾が世に出たのは翻訳の勉強を開始してから17年後、イギリスの図書館で「心の炎」が点火してから数年後のことだった。やがて私が次々と著書を出すようになると、やっと母も「自慢の息子」と大喜びしてくれた。

いったん「心の内なる炎」が点火してしまうと、その炎は少々のことでは消えはしない。なかなか化学反応が起こらないかもしれないが、それでも心の奥底では炎が燃え続けているからだ。

なぜなら、それはその動機が精神的ニーズ（社会に貢献したいというニーズ）に支えられているからである。**人のために役立ちたいという思いからくる行動は、強固で決して折れることはない。**

お金になるかどうかや他人がどう評価するかなどは、それほど重要ではなくなっているのだ。逆にいえば、ちょっとやそっとのことで心が折れてしまうのは「心の内なる炎」が点火していないからではないかと私には思えるのである。

自分の核となる領域に全集中しよう

人は重要なことに時間を費やせば費やすほどどうなるのか、逆につまらないことに時間を費やせば費やすほどどうなるのか。これについて図を使って説明しよう。外側から内側にかけて「関心の輪」「影響の輪」「集中の輪」という3つの輪が描かれている（↓p.74）。

「関心の輪」には自分が関心のあることのすべてが含まれている。たとえば、プロ野球の結果、感染症の感染者数の推移、某有名人の犯罪、海外で起きた自然災害、首相の演説、株価の変動、友人の離婚、息子の入試、自分の昇給、職場の人間関係、外国語学習、書道、健康管理……。関心を持つ対象はそれぞれで異なり、これらの中には自分がコントロールできるものもあればできないものもある。

「影響の輪」には自分の力で影響を及ぼすことができるものが含まれている。先の例の中から自分の力で影響を及ぼすことができそうなものを考えてみてほしい。プロ野球の結果に対してあなたは何か影響を及ぼすことができるだろうか。感染症の感染者数の推移を頻

●自分でコントロールできることとできないことを見極める

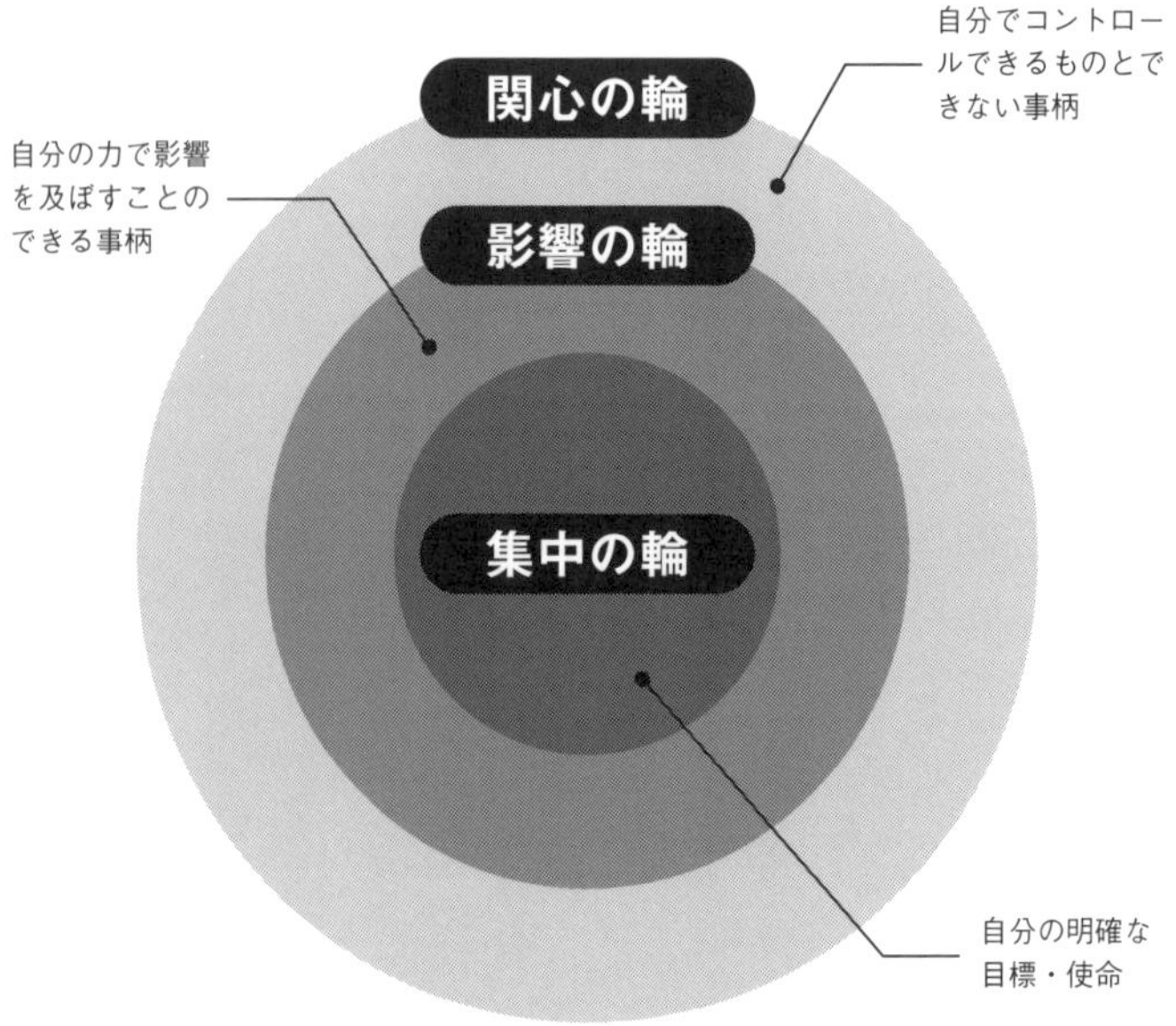

自分では変えられない領域（関心の輪）よりも、自分で変えられる領域（集中の輪）に時間とエネルギーを費やすようにすると、自分の人生を主体的にコントロールできるようになる。
『7つの習慣 最優先事項』（キングベアー出版）より引用

繁に確かめたとしてあなたに何かできることがあるだろうか。某有名人の犯罪、海外で起きた自然災害、首相の演説はどうだろうか。あなたが影響を及ぼせることは極めて限られているだろう。その点、友人の離婚、息子の入試、自分の昇給、職場の人間関係は努力次第で相当な影響を及ぼせるだろう。

「集中の輪」は「影響の輪」の中の事柄のうち自分のミッションと合致しているもののことである。ある人はそれが外国語学習かもしれないし、ある人は書道、ある人は健康管理かもしれない。これも人それぞれだ。ただ、自分のミッションが見つかっていないという人もいるだろう。むしろそのような人が多いのかもしれない。そのような人は「関心の輪」と「集中の輪」の間の時間を過ごしている。

では、人は「関心の輪」に時間やエネルギーを費やせば費やすほどどうなっていくのだろうか。

「関心の輪」とは自分がコントロールできないもののことだから、そんなことに時間を費やしても世の中は何も変わりはしない。ひいきのチームが優勝したといって歓喜のあまり川にダイブしても、某有名人の逮捕を報じるワイドショーにかじりついても、海外で起きた自然災害に心を痛めても、それによって自分が成長することはないのだ。「関心の輪」

で時間を過ごせば過ごすほど「影響の輪」も「集中の輪」も小さくなっていく。

逆に、「集中の輪」で時間を費やせば費やすほど「集中の輪」は広がっていく。

私の場合、最初は英語が得意な生徒に過ぎなかった。それが英語学習に励み続けた結果、やがて英会話講師になれた。英語でお金が稼げるようになったのだから「関心の輪」から「影響の輪」に入ったことになる。さらに英語力に磨きをかけていると、この本こそ私が翻訳出版すべきだという原書に出合うことができた。「集中の輪」に突入したのだ。このように「集中の輪」で時間を過ごせば過ごすほど「集中の輪」の領域が広がるのである。

では、「影響の輪」で時間を費やすことはどうだろうか。それは「良」か「悪」か。「関心の輪」で時間を費やすよりはマシだろう。しかし「集中の輪」の時間を犠牲にしてまで費やす価値はないといえよう。

「集中の輪」に目覚めた人は、1分1秒たりともムダにすることなく「集中の輪」の中で過ごしたくなるので、「影響の輪」の事柄にすら興味を持たなくなっていくのだ。

「心の内なる炎」が点火し、「集中の輪」の事柄に目覚めた人だけが学びという強い武器を持つことができる。

第 3 章

お金や仕事、健康の不安から自由になる

【肉体的ニーズの満たし方】

健やかな心身を保ち、摂生する

旅客船を思い浮かべてほしい。私たちにとっての「肉体的ニーズ」とは旅客船にとっての「船体」であり「燃料」である。「船体」が破損していたり、「燃料」が不足したりしていては、出航しようにも出航することができない。出航するには第一に「船体」（＝肉体）が正常な状態であり、適度な「燃料」（＝お金）があることが必要だ。

同様に、**私たちが生きがいのある人生を送るには、何よりもまず「肉体的ニーズ」を満たすことが必要だ。**そこで、この章では「肉体的ニーズ」をどう満たし、どう「大人の勉強」につなげていくかを考えてみよう。

自分という「船体」をメンテナンスし、磨きをかけることでよりスムーズに生きがいのある人生に近づくことができる。健康な肉体がなければ、夢を実現させたり、大きく飛躍したりすることは難しいだろう。

健康で良好な体調を保つことの大切さは、いうまでもない。**健康の3要素といわれる食**

事、運動、睡眠を整えることで健やかな肉体を維持することができる。

つまり、体によいものを食べ、運動を習慣づけ、良質な睡眠をとることを心がけるとともに、過重労働にならぬよう適度に休息をとり、体調管理に努め、ふだんから大きな病気を寄せ付けないようにすることが肝心だ。後半の人生が長くなった現在、過食やアルコールの過剰摂取、運動不足、睡眠不足などの悪習慣は見直し、摂生を心がけよう。

健康維持に関して最も大切なことは、主体的に行動することだ。氾濫する情報に振り回されるのではなく、知性と理性を十分に働かせ、何が本当に自分の健康維持につながるのかを考え、情報をきちんと見極めることが大切だ。

そして、一度決めたら3カ月は継続し、ときどき検証しながらオリジナルの健康習慣を形成するようにすると、無理なく身につけられるだろう。

ウォーキングやランニング、筋トレなど、体を動かすことはおっくうで面倒だが、「やる」と決めたことは主体性を発揮して習慣づけるようにすると、続けやすくなるだろう。

さらに、**健康を維持することは、現在、そして将来への投資だと意識すると、モチベーションをキープしやすくなる。**

長時間の勉強や労働など、何かを成し遂げるには体力が欠かせない。明朗な発声や機転の利いた受け答え、クリアな頭で熟考するにも十分な睡眠や栄養が不可欠だ。

まず**自分の夢を見据え、究極的に目指すものをはっきりさせ、それに沿った形で健康を維持していこう。**

ちなみに私は健康維持について、8時間睡眠と1日1万歩を心がけている。十分かつ良質な睡眠をとるようにしたところ、記憶力がよくなり、頭が冴えわたり、新しいアイデアが次々と浮かぶようになった。太りにくくなり、カゼもめったにひかず、いいこと尽くめだ。良質な睡眠は免疫力を高める効果もあり、科学的エビデンスが次々と報告されている。

また、「1日1万歩」を習慣づけるようにしたところ、40代半ばから悩まされていた夜間頻尿がすっかり消失した。

それまで、夜中に2〜3回トイレに起きていて、すがる思いであちこちの病院でさまざまな薬を出してもらったが、4年間治らずじまいだった。そんな折、漢方医のすすめで「1日1万歩」を実践したところ、1週間で効果が現れ、なんと3カ月後には夜間頻尿がすっかり完治したのである。適度な運動で得られる良質な睡眠により、ホルモンバランスが整えられた結果だということだった。

そのほか、こま切れ時間にストレッチなどを取り入れ、毎日の習慣にするといいだろう。

さらに、**人間は自然の法則に基づいている存在なので、ふだんからできるだけ多くの自然に接するよう心がけるといいだろう。**

海や山にわざわざ出かけなくても、雨の日に雨音に耳を澄ましたり、公園の緑の中を歩いたり、季節の花々にふれたりするだけでも、リラックスできるはずだ。

デジタル化が進んだ昨今、視覚や聴覚の情報ばかりを受け取っている現代人は、五感のバランスがくずれがちだが、一日のうち、ほんの数分でもこうした時間を持つことを心がけるだけで、心身をリフレッシュさせることができる。

健全な経済状態の保ち方

「恒産なくして恒心なし」という言葉がある。「安定した財産なり職業を持っていないと、安定した道徳心を保つことは難しい」といった意味である。実は私自身、イギリス留学から帰国した直後から1年ほど借金生活に陥っていたので、この言葉の意味を体感として知っている。経済的不安があると勉強したくても勉強どころではなくなるのだ。

そんなときでも、いや、そんなときこそ心に留めておくべきことは、**健全な経済状態を保つには倹約・勤勉・貯蓄・投資が原則であるということである。**健全な経済状態を築くのに近道などないと心得よう。倹約や勤勉、貯蓄や投資をする「Big Why（一体なぜそれをするのか）」は、最終的に生きがいのある人生を送るためである。宝くじやギャンブル、いかがわしい儲け話、投機などの〝近道〟を取ろうとすると足をすくわれる可能性が高くなる。

それだけではない。割のいい仕事だと思ってよく考えずに筋の悪い仕事に手を出せば、いわゆる〝貧乏くじ〟を引く可能性も高くなる。そんなときこそ、倹約・勤勉・貯蓄・投資という原則に立ち返ろう。

・倹約する

お金は無限にあるわけではない。倹約できるところは倹約しよう。倹約はいますぐ、だれにでもできる。1万円倹約するのと1万円稼ぐのとでは、倹約するほうがはるかに簡単である。ただし吝嗇《りんしょく》と倹約の違いを履き違えてはならない。ケチることそのものに意義があるわけではないのだから、出すべきところにはきちんと出そう。要するに、倹約とはムダな出費をへらすということに尽きる。それだけでも大きな違いが出る。

・勤勉に徹する

イギリスの小説家、アーノルド・ベネットがいみじくも述べているとおり、「よく働く社員などというのはめったにいるものではないので、よく働く社員の評判はすぐに広まる」。これは私も実感しているところである。

勤勉な社員というと、自分の仕事に全力を注ぎ、時間内に成果を上げる生産性の高い社員のことといえるが、なかなか思いどおりの成果を上げることは難しい。そんな中でできることといえば、「組織の中でなくてはならない存在になる」ということだ。つまり、組織のスムーズな運営に欠かせない模範的な社員になることだ。

挨拶を欠かさず、遅刻やムダな残業をせず、ちょっとした雑用は快く引き受け、必要な届け出や報告書はきちんと期限内に出し、社内規定違反はしないなど、至極まっとうなことをこなすだけで好感度は間違いなくアップする。突出した業績がなくても、**そんな人は職場に多くの味方ができ、孤立することがなく、業績が悪化したとき、解雇される心配も少ないだろう。**

・貯蓄する

貯蓄がなければ、生きていくためにお金を稼がなければならなくなる。どの職場にも(あるいはどのような契約形態の仕事でも)大なり小なり理不尽なことはあるものだが、経済的依存度が高ければ高いほど、理不尽なことにも耐えなければならなくなる。

一方、貯蓄ができ、経済的に依存しなくなれば、理不尽なことに対抗できるようになる。「理不尽なことが起きたらそれに対していつでも自己主張できる」という心理的な自由が得られることは大きい。経済的に依存しなくてもすむ日が来るのを信じて、少額からでも貯蓄をはじめよう。額は貯蓄できる額でいい。大切なことはどんなに少額であっても毎月貯蓄をすることだ。

・投資する

貯蓄は大切だが、貯蓄が富を生み出すことはまずない。貯蓄を富に変えるために投資をしよう。私は投資信託、不動産、株、外貨などに20年以上投資し続けているが、長期間続ければ、短期的な上げ下げに一喜一憂することもなくなるし、その結果それなりの成果が出るものである。

また、**「大人の勉強」もある意味、自分への〝投資〟である。自分を高めておくことは、それだけ富を生み出す可能性を高めることになるからだ。**

努力の末に「恒産」ができればしめたものだ。「恒心」を持って「大人の勉強」に全力で取り組むことができるだろう。

経済的基盤を確保しながら夢に近づく

仕事を持ち、経済的基盤を確保しながら好きなことを仕事にしたいと考えている人に、私の経験を踏まえてよりリスクの少ない方法を２つ紹介したい。

最も安全な方法は、いま勤めている職場で働きながら、休日を利用してスキル・知識・経験値を積んでいき、実力がついてから満を持して転職や独立活動を開始することである。これは経済的基盤という観点からは最も安全である。

ちなみに私は学生時代から出版翻訳家になりたいと思っていたが、青山学院大学卒業時には出版翻訳家になれるほどの実力はなかった。そこで残業が少ないと評判の大学事務職員となり、平日の夜や休みの日を利用して英語力を磨くことにした。とくに大学職員は夏休みが一般企業とくらべて多く取れるので、それをすべて英語力向上に捧げた。経済的な心配は一切なかったし、ボーナスはほぼすべて英会話学校や翻訳学校などに費やすことができたわけだが、大学事務職員としての４年間に英語力を磨けたのは大きかった。

次に安全な方法は、**自分の夢を実現するうえで役立ちそうな仕事に転職することである。**

もしもいまあなたが勤めている職場が、自分の夢を実現するうえで何の役にも立たないと考えるのであれば、少しは役に立つと思われる職場に転職するのも一つの方法だ。

出版翻訳家になりたいという夢はあっても、実力もなければ伝手も経済基盤もない私がいきなり出版翻訳家にはなれはしない。だが大学事務職員を続けていても英語力が生かせる部署はなかったので、翻訳士の資格を取得したのを機に退職し、英会話講師となり、さらに翻訳の実力を磨いて産業翻訳のスタッフになった。

こうして一歩一歩、着実に出版翻訳家になるための駒を進めていったのである。ほかの業界のことは実体験として知っているわけではないが、いきなり自分の夢が実現できる仕事に就けなくても、私がたどってきたように、夢の実現に役立ちそうな仕事に転職することで夢に近づくことも可能だろう。

努力の末、夢見ていた仕事に就けたとしても、経済的に不安定な場合、その仕事に関連した副業を持つことだ。収入の多寡は気にせず、将来のステップアップに役立つかどうかを第一に考えるのである。

マネーツリーをコツコツ育てる

できるだけお金に縛られずに生きるためにもっとも現実的な道は、若いうちからマネーツリーを一つ一つ育てていくことである。マネーツリーとは、まったく何もせずにお金が入り込んでくるシステムのことで、具体的には利子、配当金、家賃収入、印税収入、権利金収入などをいう。**マネーツリーによる収入が支出を超えれば、お金を稼ぐための仕事から解放され、本当に好きなことだけに打ち込めるようになる。**

どんな投資がいいかについては本書では述べないが、大原則としてリスクを分散することは賢明なことと思える。具体的には、投資信託、株、不動産と投資するものを分散することである。また投資信託一つをとっても投資先の国を分散する、投資する時期を分散する、投資の種類を分散する、ということを心がけてコツコツと投資していくのだ。

こうしたマネーツリーをできるだけ早くから育てていけば、定年になるころには大きなマネーツリーとなってくれるだろう。実際、私は30代後半から投資信託をはじめたのだが、その後20年ほど保有し続けていたところ、すでに受け取った分配金だけでも投資した額を超えていた。簡単にいえば、100投資したものが、すでに受け取った分配金の総計だけでも100を超えていたということである。それでいて元金は元金として残っているので、受け取った分配金は丸ごと得をしたことになる。このように投資は早くはじめて長く続ければ続けるほどリターンも大きくなる可能性が高まる。

私は40歳過ぎから学位を5つ取得したが、それは投資したお金が生み出したお金を使えたから可能だったのである。

お金のことを心配しなくても生活していける資産や仕組みを持つことを「ファイナンシャルフリー」というが、ファイナンシャルフリーになるために重要なことをもう一つ述べたい。それは**十分なお金が貯まったなら、さらにお金を稼ごうと躍起になるのではなく、それをどう生かすかを考えることである。**

新約聖書には「あなたがたは地上に富を積んではならない。(中略)富は、天の国に積みなさい」(マタイによる福音書6:19〜20)と記されているが、お金を貯め込むより、だれかの役に立ち、喜んでもらうためにお金を使ったほうが、自分自身もはるかに幸せになれる。また、そうした心構えができはじめて、真のファイナンシャルフリーになれるといえるのだ。

成長に役立つよいストレスを味方につける

ストレスとうまく付き合おう。悪いストレスとはお別れし、よいストレスを味方にしよう。しかし、流されるがまま生きていればそれは難しい。ぜひ、**「悪いストレスとお別れし、よいストレスを味方につける」ことを強く意識してほしい。**

悪いストレスの筆頭に挙げられるのはテレビから流れてくる悪いニュースだ。世界を見渡せば、どの時代でもどこかで悲惨なことが起きている。パンデミック、自然災害、戦争、凶悪犯罪……。テレビは視聴率を稼ぎたいのか、これでもかというほど視聴者を恐怖に陥れてテレビの前に釘付けにしようとする。悪いニュースがない日などないくらいである。しかしよく考えてみてほしい。あなたがそのニュースを見て何かできることがあるだろうか。何もなす術《すべ》がなく、それらのニュースを見て滅入ってしまうくらいなら、もっと愉しいことに目を向けよう。

悪いストレスになるのはテレビばかりではない。インターネットも強大なストレスになる。私はエゴサーチはしないことにしている。というのは、コメントにはよいコメントも酷いコメントもあり、世の中の人が私のことをどうコメントしようが、そのコメントによって私自身の価値は一ミリも上がったり下がったりはしないからである。そんなコメントに一喜一憂するくらいなら、もっと自分を高めてくれるものに時間を費やすほうが賢明だと気づいてからは、エゴサーチは一切しないことに決めたのだ。

その他、悪いストレスになりかねないものからは逃げよう。腐れ縁としかいいようのない人との付き合い、出たくない飲み会の誘い、ブログのコメント欄を通してのやりとり、延々と続くSNSの投稿、遠距離通勤、比較しなくてもいい人と比較して落ち込むことなど……。これらの悪いストレスから完全に逃げられればそれに越したことはないが、完全に逃れられない場合でも、できるだけ悪いストレスから逃れる工夫をしよう。

しかしストレスは悪いものばかりではない。よいストレスもある。これを利用しない手はない。たとえば、試験を受けることはストレスになる。ある人にとっては悪いストレスかもしれないが、自発的に検定試験を受けている私にとってはよいストレスである。

試験日直前になればそれなりに緊張感が高まってくるし、試験当日は遅刻しないように時間を見て試験会場に行き、多くの受験生と一緒に全力で試験問題に取り組む。これは相当なストレスではある。そのため、自分で自発的に受けると決めたくせに、実際に受験する際に受験申し込みをしたことを後悔することもある。だが、そんなときであっても、いったん試験がはじまってしまえば、頭の中に詰め込んだ知識を総動員して一心不乱に取り組むことになる。試験以外ではそんなに頭をフル回転させることも滅多にあるものではないのでとてもよい刺激になる。こういう具合に、**自ら自分にストレスを課し、毎回ベストを尽くしているとそれなりに実力がついてくるのである。**

私にとって検定試験は、アスリートにとっての競技大会、棋士にとっての対局、ピアニストにとってのコンサートのようなもので、ピリピリ緊張はするものの、そのために全力で取り組めるひじょうによいストレスなのである。それがあるからこそ頑張れるし、成長できるというところもある。

あなたが挑戦したいものはどんなものだろうか。どんな挑戦であれ、**自分が好きで「努力を要するもの」であれば、挑戦すればするほど自分が磨かれる。**自分なりにベストを尽くすからである。そのようなよいストレスを自分に適度にかけることが、自分を成長させる栄養素となるのだ。

「自分磨き」が究極のリストラ対策

私は何度か転職を経験しているが、退職するたびに周りの人たちから「こんなに安定した仕事を辞めるなんてもったいない」「高給だし有休もとりやすいし、何が不満なの？」「ここにいれば一生食いっぱぐれはないのに」など、あれこれと忠告を受けた。

最初に辞めたのは大学職員だった。辞めた理由は自分の〝武器〟である英語力が生かせない職場だったからだ。何としても英語力を生かせる仕事で完全燃焼したかったのだ。

そして27歳のとき、念願叶って有名企業に産業翻訳のスタッフとして再就職したのだが、留学が決まったため、そこも約3年で辞めた。当時30歳の私にとって留学はまたとない好機だったのだ。留学後どうやって食べていくかは二の次だった。もちろん〝食べていくこと〟も大事である。食べていけなければ、夢だの情熱だのといってはいられないからだ。

しかし多くの人が生活のためという理由で働いているのには心底驚かされる。人生の大切な時間を、情熱を燃やせない仕事に費やすことの損失に、ほとんどの人が気づいていないように思えた。お金を第一の目的として働いても、手に入るものは、金や世間体という〝頼りになりそうで実際には頼りになるとは限らないもの〟ばかりのような気がするのだ。「私にはこれがある」と自信を持っていえる強みがあまり身につけられないのではないかと思うのだ。

人生は想定外の連続だ。絶対安泰と思われる企業でも倒産する昨今である。事実、いまや私立大学のほぼ半数が定員割れをし、4割が赤字経営ともいわれている。また私が勤務していた有名企業も、私が退職した1年後には所属していた翻訳部が閉鎖された。いま思えばしがみつかなくて正解だったような気がする。

では、先の見えない未来に対しては何がもっとも頼りになるのか。それは自分の個性や能力を磨くことである。何でもいい。**「私にはこれがある」というものを磨き続け、それを社会に役立てようという真摯な気持ちを持っていれば、自分の個性を社会に役立てる機会が生まれる可能性が高まる。**万が一、リストラされても新しい仕事を見つけやすくなるかもしれないし、強みを生かして自分で商売をはじめられるかもしれない。そのほうが、何かにしがみつこうとするよりもより現実的な対策になるだろう。

簡単に勉強モードにスイッチする方法

人間が「成長したい」と願う本能は、強いというよりはむしろ弱い。「よし、やろう！」と決意するのは簡単だが持続させるのは難しい。**気分が乗らないときに無理やり勉強するのは苦痛だし、勉強が嫌いになっては元も子もない。そんなときは工夫を凝らして気分を勉強モードに乗せてしまおう。**

・アロマテラピー

勉強には頭をスッキリさせる効果のあるアロマオイル、中でも刺激性の高いユーカリやティーツリーなどがおすすめだ。

好きなアロマオイルをティッシュペーパーやハンカチなどに数滴含ませ、香りをかぐ手軽な方法でもよいが、私は自宅で勉強するとき、ネブライジング方式のアロマディフューザーを使って室内に香りを拡散させている。これは、アロマオイルを原液のままガラス製のフラスコに入れ、空気の圧力でミスト状にし、香りを空気中に広げる仕組みだ。価格は比較的高めだが、すぐに香りが充満するので一気に頭が冴えて勉強への集中力がアップする。

寝室では早く眠りにつけるので疲労回復に大いに役立つ。眠りを深くするアロマオイルとしてはラベンダー、オレンジなどがいいだろう。

アロマテラピーは神経集中のみならず、安眠やストレス解消、また抗菌などにも効果があるとされる。

おもなアロマオイルの効能を次ページに紹介しているので、好みの香りを見つけ、ぜひ〝味方〟にしてしまおう。

アロマストーンは、丸い石にアロマオイルを数滴落とすことで、オイルが自然に揮発するのを利用したグッズで、携帯用はコンパクトなので持ち歩け、即効性があり、外出先でも瞬時に頭が冴えわたる。いつでもどこでもその香りをかぐと勉強モードに簡単にスイッチすることができ、価格も手ごろでおすすめだ。

●集中力アップとリラックスに役立つアロマオイル

集中力アップ

脳を活性化し、
血行促進作用をもたらす

・ユーカリ
・ティーツリー
・ブラックペッパー
・ペパーミント
・レモン

イライラ

鎮静作用があり、
緊張をやわらげる

・サンダルウッド
・パルマローザ
・プチグレン
・フランキンセンス
・レモングラス

不眠

鎮静作用があり、
リラックス効果をもたらす

・オレンジ
・タイムリナロール
・ネロリ
・ラベンダー
・ローマンカモミール

不安・落ち込み

不安をやわらげ、
心身に活力をもたらす

・ジャスミン
・ベルガモット
・マンダリン
・マジョラム
・ローズマリー

・手帳

自分の夢を紙に書き出すと実現の可能性が高まるといったことは多くの自己啓発書に書かれてある。それもいい。しかしもっと効果を感じている方法がある。それは、夢や目標を手帳に書き出すことである。「こうなりたい」という願望や野望でもいいだろう。強い思いを手帳に書き出し、勉強をはじめるたび、あるいは勉強している間じゅうずっと目に入るところに置いてみよう。手帳に書いたことが驚くほどの確率で実現していることを発見するだろう。**自分で書き出し、それを常に目に触れるようにしておけば、意識しようがしまいが、潜在意識の中では常にその目標に向かうからだ。**

・隠れ家

自分だけの〝隠れ家〟を見つけよう。人の気配が適度にあり、勉強以外のことに気が散る心配のないところがいい。自宅にそのような〝隠れ家〟があればいいが、そうでなければ、図書館や喫茶店などを〝隠れ家〟にしよう。私自身、お気に入りの〝隠れ家〟を10か所ほど見つけている。気分によって「午前中はこの喫茶店、午後は図書館」という具合に行く〝隠れ家〟を変え、気分転換を図りながら勉強を続けている。

作家の渡部昇一氏は購読している英文雑誌が〝積ん読〟になりがちなので、お気に入りの喫茶店まで行き、そこで英文雑誌を読むのを習慣にしていたそうだ。英文雑誌を読むためにわざわざ喫茶店に出向くというと時間も労力も費用もかかるが、必然的に英文雑誌を読まざるを得ない状態に自分を置くことができ、勉強モードへとスイッチできる。

図書館に行けば勉強に打ち込んでいる周りの人たちが目に入り、自然と勉強に身が入る。喫茶店ならコーヒー一杯分の費用で一定時間集中して勉強でき、おいしいコーヒーも堪能できる。コロナ禍のテレワークで生産性が上がらない場合も、勉強や仕事に集中しやすい自分だけの〝隠れ家〟を持つことで作業効率が格段に上がるはずだ。

自宅はインターネットなど勉強の敵となるさまざまな誘惑であふれている。誘惑に溺れやすい人は、勉強するときは極力外出し、インターネットに簡単に接続できないような環境に身を置くようにしよう。また、スマホやスマートスピーカーのタイマー機能を利用するなどしてネットの動画を視聴する時間をあらかじめ制限するようにするといいだろう。1日1時間とか週に4時間など、自分なりにルールを決め、設定した時間が来たら必ず視聴するのをやめるようにするのだ。**自制心を利かせてメリハリをつけることで勉強に集中するリズムが自然と習慣づけられる。**

ときには〝プチ贅沢〟で自分を褒めよう

健全な経済状態を保つには倹約・勤勉・貯蓄・投資が原則である。しかし、そればかりでは息が詰まるし、がまんし過ぎると反動も大きい。

そこで、ときにはお金を派手に使って心ゆくまで快楽にひたったり、自由時間を思う存分愉しんだりしてもいいだろう。それは〝浪費〟ではなく、〝レクリエーション〟という立派な役目を果たしてくれる。**新たな次の目標や出発のためのモチベーションにもなってくれるのだ。**

実際、私は目標に到達すると、自分に〝ご褒美〟を与え、自分自身をねぎらっている。そうすることで人生がこのうえなく愉しくなる。自分に〝ご褒美〟を用意して勉強をはじめればモチベーションも上がるし、目標を達成したときに〝ご褒美〟がもらえれば最高のひとときが味わえる。ご褒美の基準は自分で自由に設定するといいだろう。

たとえば、私は「実用フランス語技能検定（仏検）準2級に合格したら高級フランス料理を食べに行こう」と決めていた。フランス語の独学を続けるのは困難である。しかし、仏検合格を目標にしてそれを達成した暁には〝ご褒美〟がもらえることにすれば、それがいいモチベーションになる。何もないのにフランス料理を食べに行くより、仏検合格の〝ご褒美〟として食べるフランス料理なら、何倍もおいしくいただけるというものだ。

また、成果が伴わなくても、長い間取り組んできた仕事や課題を終えたこと自体を評価するという理由のご褒美もいいだろう。「この本の翻訳を終了した翌日は健康ランドで一日ゆっくりしよう」と決めれば、それが新たな次の目標達成への活力にもなってくれるからだ。何もないのに健康ランドに行くより、健康ランドを存分に愉しめる。ずっと前からほしかった物をご褒美として買うのもいいだろう。

自分で設定した目標に向かってベストを尽くしたことに対する〝ご褒美〟を用意しておき、成果はともかく、挑戦しただけで〝ご褒美〟がもらえるのであるから、チャレンジすることが苦ではなくなり、次々と新しい目標が生まれてくるはずだ。

倹約・勤勉・貯蓄・投資ばかりの人生では息が詰まりかねない。かといって、自分の成長につながらないようなことにお金を浪費していては、瞬間的には快楽が得られても生きがいのある人生にはつながっていかないのだ。

第 4 章

人間関係のあらゆる悩みをリセット

【社会・情緒的ニーズの満たし方】

人間関係の悩みに対処するスキルは人文科学系科目で磨かれる

再び旅客船を思い浮かべてほしい。われわれにとっての「社会的ニーズ」は旅客船の「交通ルール」のようなものであり、「情緒的ニーズ」は「旅客船内の人間関係」ともいえるものだ。**「船体」が正常で、かつ「燃料」も十分な旅客船でも「交通ルール」を守らなければほかの船と衝突しかねないし、「旅客船内の人間関係」がギクシャクしていたら船旅は愉しめない。**

人間は社会的な動物であり、社会の中でしか生きられず、社会との関わりの中でしか喜びを感じられないものである。いい換えれば、たった一人では生きがいのある人生を送ることはできない。そこでこの章では「社会・情緒的ニーズ」をどう満たし、「大人の勉強」につなげていくかを考えてみよう。

哲学、心理学、神学、文学などの人文科学系の学問は、もっともお金儲けからかけ離れた学問だと思われがちだ。しかし本当にそうだろうか。一見、ビジネスに直結しそうにない学問なので、お金儲けに執心している人にとっては「やるだけムダ」のように思えることだろう。

しかし、こうも考えられないだろうか。職場の人間関係に耐えられなくなって仕事を辞める人がいる。確かに、明らかなブラック企業も一定数あるだろう。しかし、大半の人には耐えられる職場であっても、ある人にとっては耐えがたいということがある。あるいは、ほんの些細なことに腹を立て、人間関係を悪化させる人もいるだろう。

こうした人間関係のトラブルを観察していると、一見ムダに思える哲学、心理学、神学、文学などの学問をしていれば人間関係のトラブルを未然に防げたのではないかと思えることがよくある。もし仮にそうだとしたら、これらの学問は一見無意味に見えて、間接的にお金儲けに役立っていることになる。なぜなら仕事を辞めたり契約を破棄されたりすれば、お金が逃げていくからである。

私自身、人文科学系の学問によって人間関係のトラブルを防げたと思えたことは枚挙にいとまがないが、ここではほんのわずかだが例を挙げてみよう。

たとえば、哲学の一分野である認識論を勉強すれば、「自分が認識していることは真実とは限らない」ことが明確にわかる。自分の目には「絶対に間違いない」と見えることであっても、実は認識の仕方が不十分であるということも多々あることがわかるからだ。認識論の専門書にはその驚くような実例が紹介されている。こういう衝撃的な知的体験を積むと、**「自分が認識していること」はあくまで「自分が認識していること」に過ぎず「真実とは限らない」と自分の認識に対して謙虚になれる。**その結果、自分の認識と他人の認識にズレがあっても腹が立たなくなる。「私にはこう見えるが、彼にはこうは見えないだけだ。果たしてどちらの認識が真実なのか。それが解明できないうちに彼と衝突するのはやめておこう。私の見方が間違っている可能性だってある」と怒りを抑えるのが容易になる。かくして**他人との衝突を未然に防げる可能性が高くなる。**

ロンドン大学神学部で宗教学を学んだことも私にとっては大きな転換期だった。それまで新約聖書をじっくり読んだことはなかったが、必須科目になっていたため、3年間も新約聖書を勉強する羽目になった。「聖書」と聞けば、それだけで拒絶反応を示す人がいるので、ここでは聖書に書かれてあることの妥当性を主張するわけではないが、納得できるところだけを自分の人生に取り入れるだけでも人間関係が一変するような気がする。実際、私は**聖書を精神生活のバックボーンにして以来、人間関係に悩まされることはほとんどなくなった。**

とくに私が感銘を受けた聖句は「自分で復讐しないで、むしろ、神の怒りに任せなさい。

なぜなら、『主がいわれる。復讐は私のすることである。私自身が報復する』（ローマ人への手紙12：19）や「善を行って苦しみを受け、それを耐え忍ぶなら、これこそ神の御心に適うことです」（ペトロの手紙1 2：19）などである。これらの言葉を何百回も読んでいると理不尽なことをされても、「やり返してやろう」などとは思わなくなるものである。

心理学の領域に交流分析というのがあるが、これも人間関係を円滑にするうえで大いに役立った。交流分析を学べば、人間関係が壊れる理由がよくわかるようになる（くわしくは拙訳書『幸福になる関係、壊れてゆく関係』トマス・A・ハリス著、同文書院）し、それがわかれば、人間関係が壊れるのを未然に防ぎやすくなる。また〝深く付き合ってはいけない人〟がわかるようになる。

私の若かりしころの人間関係のトラブルを思い出してみても、哲学、心理学、神学、文学などの人文科学系の学問を勉強していれば、回避できていただろうと思われるトラブルは多々ある。とかく実利や効率に気が向きがちだが、もしも人間関係に悩むことがあれば、人文科学系の学問も勉強してみよう。きっと新たな視点が見つかるはずだ。

自分を裁く人から離れ、人を裁かないのが極意

私にとっては倫理学の勉強も人間関係の考察に大いに役立った。とくに自分を裁く人から離れることができるようになったことは大きかった。一口に「倫理学」といっても内容は多岐にわたるが、私が役に立ったと思う一例を挙げてみよう。

人間関係において最も気をつけるべきことの一つは、自分を裁く人から離れることである。人を裁く行為には「批評（judge）」「非難（condemn）」「否定（deny）」がある。これらと似て非なるものに「批判(criticize)」があるが、英語の「criticize」は本質的に前者3つとは異なっている。英語の「criticize」はもともと真実と真実でないものを分けるという意味の言葉である。批判的精神が旺盛な西洋では**批判は相手を責めるニュアンスではなく、相手と同じ立場に立って何が真実であり何が真実でないかを一緒に考えるという前向きなニュアンスがある。**

これに対して「批評（judge）」は、相手を一方的に品定めすることだ。自分が一段上に

立って、相手のことをあれこれエラソーにいうことである。場合によってはひじょうに失礼な行為にあたることがある。

「批評」よりもタチが悪いのが「非難」だ。これは相手の欠点をなじることである。「こんな失敗するのは最低だね」「社会人失格だね」「君が試験に落ちるのも当然だね」など、パワハラ、モラハラにあたるものだ。このような「非難」をしてしまうと人間関係に取り返しのつかないヒビが入る可能性大だ。

最悪なのは「否定」である。汚い言葉で罵ったりするのがこれに相当する。これをするとたった一言でも人間関係が壊れかねない。いってしまったが最後、後でいくら謝っても「覆水盆に返らず」なのだ。相手との関係を壊したくないなら、いくら腹が立っても相手を「否定」しないことだ。

「批評」も「非難」も「否定」も、相手の存在を無視してでもできるモノローグ(独り言)にすぎない。一方、「批判」は違う。これは相手と同じ土俵に立って相手とダイアローグ(対話)することが目的である。同じ土俵に立っているのだから、ひょっとすると自分が間違っていることを指摘されるかもしれないし、そういったリスクを請け負うからこそ、相手も心を開くのだ。

もしあなたが自分の夢を語って、それをだれかに「批判」されたなら、素直に耳を傾けるといい。**「批判」してくれる人は、あなたと同じ土俵であなたとダイアローグをしようとしてくれている。自分一人では気づくことができないあなたの欠点を教えてくれようとしているのかもしれない。**そこに成長の種があるかもしれない。ダイアローグによって新たなよりよき道が発見できるかもしれない。だから耳障りな「批判」だったとしてもありがたがろう。

しかし**あなたを「批評」したり「非難」したり「否定」したりする人からは離れよう。**彼らの「批評」「非難」「否定」はあなたの「心の内なる炎」を消す効果しかない。職場でどうしても付き合わなければならない人の場合はある程度はしかたない部分もあろうが、そういう場合はそのような人と接触する機会をへらすしかない。できるだけ関わらないようにするのだ。それが「心の内なる炎」を消さないための最善の方法だ。

同じ志を持つ集団に所属する

人間は社会的な動物であるということは、すなわち人間はある集団に属してしまうと、本人が意識しようがしまいが社会化されてしまう動物だということである。

では、社会化とはいったいどのようなものか。

それは「ある集団に属する人たちとの相互作用を通して、その集団の価値観を内面化することで、その集団に溶け込み、集団生活が営めるようになること」である。よくも悪くも「朱に交われば赤くなる」のだ。

気をつけるべきことは、**悪い集団に属していれば、いくら本人がしっかりしていたとしても、知らず知らずのうちに自分もその集団の色に染まってしまいかねないということだ。**

逆に、よい集団に属していれば、自分もその集団の「よさ」が身についてくる。

意識して「よさ」を身につけようとする場合の社会化を模倣というが、とくに意識しなくても「よさ」が身につくことがある。知らず知らずのうちによい刺激を受け、自分もがんばろうと努力する場合がそれで、それを薫化という。

自分一人の力で集団のカラーを変えることは、ひじょうに困難である。悪い集団の場合はなおさら困難だ。たとえば、ギャンブルや風俗などの快楽の追求が好きな人たちばかりの集団に属していれば、知らず知らずのうちに彼らの影響を受けかねない。いずれ自分も彼らに似てくる可能性がある。

もしあなたが**「心の内なる炎」を点火したいのなら、同じ志を持った集団に属するのも一つの効果的な方法だ。**学問を志したなら学問が好きな人が集まるところに行こう。音楽を志したのなら音楽が好きな人の集まるところに行こう。将棋の道を志したのなら将棋が好きな人の集まるところに行こう。

どんな集団に属したらいいかは、あなたが打ち込んでいるものによるが、同じ志を持っている集団に属することができれば大きなプラスになるだろう。アドバイスをもらったり相談に乗ってもらったりという**目に見える形でプラスになるだけでなく、知らず知らずのうちに周りの人からよい刺激を受け、薫化されることもあるからだ。**あなたが本気で夢を実現しようと思うなら、どの集団に属すべきか、どの集団から逃げ出すべきかを考えよう。その決断が長年のうちに大きな差となって表れるかもしれないからだ。

上司や同僚とうまくやる方法

「船頭多くして船山に上る」ということわざがある。指図する人が多すぎると混乱して物事がうまく進まず、とんでもない結果になりかねないという意味である。あなたを乗せた旅客船が出航するとき、あなたにはあなたの立場というものがある。あなたが船長の場合も、そうでない場合もある。とくに注意が必要なのは、あなたが船長でない場合だ。**優秀な人であればあるほど自分が「船長」になりたがるが、それが衝突の元なのである。**

これに関して前出のアーノルド・ベネットが興味深い観察をしているので引用しておこう。

「勤勉な社員というのは雇い主が自分よりも少々怠けグセのある人間だと見てとると、自分のほうが道徳的にすぐれていると思うようになることがある。怠けグセという点では雇い主のほうが間違っていると指摘するようにすらなる。ところが、雇い主とは殿様と同じで、間違ったことなど決してしないことになっているのだ。だから勤勉な社員は慎重な態度をとらねばならない」

勤勉であればあるほど、優秀であればあるほど他人の欠点は目に入るものである。

「ここはこうしたほうがいいに決まっているのに」「この人何年この職場にいるんだろう。能力のない使えない人だな」

あなたには、そんな上司はいなかっただろうか。しかしアーノルド・ベネットが観察したとおり、船長(雇い主、社長、上司、先輩、年長者)は「間違ったことなど決してしないことになっている」のである。

したがって、あなたが「船長」でないならば、たとえ自分の目から見てどんなに劣っているように思える「船長」であっても、その人に楯突いてはならない。そうしなければ、たとえあなたが正しかったにせよ、いずれあなたは下船しなければならなくなる。

実は私が哲学の勉強をはじめてもっともよかったと思えることは、自分の考えていることに謙虚になれるようになったことである。

自分の目には「絶対正しい」と思うことであっても、よく吟味してみれば、「それほど正しいというわけでもなかった」と思えるようなことも多々あるものだが、**世の中のありとあらゆる事象について「絶対正しい」といえることは数学の世界くらいにしかない**(ただし、数学の世界においてもすべてが「絶対正しい」と言い切れないような事象も存在する)ことが哲学の勉強によって明確にわかった。そしてそれがわかると、「船長（雇い主、社長、上司、先輩、年長者）」がどんなことをどう判断しようが、それに楯突くことはもってのほかだと理解できるようになったのである。

自分が判断を下してよいのは自分の領域のことだけであり、他人のことにあれこれ口出ししないほうがいい。先輩にアドバイスするなどはもってのほかなのである。

しかし口出ししないほうがいいのは雇い主、社長、上司、先輩、年長者だけではない。同僚や部下が何をしていようとも彼らの判断に一定の敬意を払うことだ。なぜなら彼らとて間違ったことを間違っていると認識したうえでやっているわけではなく、彼らの目に「正しいと思える」ことを「正しい」と信じてやっているからだ。

そしてそれは一見、あなたの目には「間違っている」と思えても、よく吟味してみれば、「正しい」ことだってありうるのだ。だから、じっくり吟味もしないのに口出ししないほうがいい（口出ししていいのは明らかに法に触れることをしているときだけである）。

せっかく念願叶って自分にぴったりの集団に属することができても、その集団の上司や仲間と衝突ばかりしていては、愉しめないだろうし、自分も成長できない。せっかく活躍の機会が得られようというときに自らその機会を手離すことになりかねないのだ。

人間関係は「相手もプラス、自分もプラス」が鉄則

人は、だれかを愛し、愛されたいと願う基本的ニーズを持っており、それが満たされないと孤独感に襲われがちだ。ただし、愛し、愛されたいと願う対象は異性だけに限らない。「結婚さえすれば幸せになれる」という通俗的な価値観に振り回されることなく、愛し、愛されたいというニーズを自分軸で満たすことを考えよう。

ところで**結婚や恋愛関係、友人関係に限らず、人間関係全般にいえることは、双方がプラスの感情を抱いてはじめて良好な関係が築けるということだ。**

これに関して、大学院の授業で興味深い概念を学んだことがある。それは、**どちらか一方の感情がマイナスになったとたん、その人間関係は成り立たなくなるというものだった。**

いい換えれば、自分がいくらプラスになったところで、相手がマイナスであれば双方の関係がアンバランスになり、良好な人間関係を続けていくことが難しくなるということだ。

一時的に相手をいい負かし、その瞬間は優越感にひたれたとしても、その結果相手に負

の感情を生じさせてしまっては、いざというときにその人が力になってくれることはないだろう。相手より優位に立てたことが一見プラスのようだが、長い目で見れば大きなマイナスになってしまうのだ。

恋人ができない、友人ができないと悩んでいる人は、相手にマイナスの感情を与えていないかどうか振り返ってみよう。不必要にミスを指摘したり、議論を吹っ掛けたり、口うるさく注意したりすることは、相手にマイナスの感情を持たせることになるだろう。相手の顔をつぶすような行為も、著しくマイナスの感情を植え付けてしまうから要注意だ。

ただし、相手にマイナスの感情を持たせないだけでは、関係性を深めることはできず、せいぜい「敵を作らない」で終わりだろう。親密な関係を形成するには、相手にプラスの感情を持たせるような行動が必要だ。

では、そのためには何ができるか。原則として、自分を喜ばせることを第一に考えるのではなく、相手を喜ばせることを第一に考えることである。もちろん自分ができる範囲でいい。自分を犠牲にすることなく、自分の意思で「相手のためにしてあげたいから」というただそれだけの理由で相手を喜ばせる努力をするのだ。そうすれば、やりたいこと、すべきことが山のように見つかる。

たとえば、助けを求めてきた人がいれば、自分のできる範囲で助けてあげる。落ち込んでいる人がいれば、ちょっとした励ましの言葉をかけてあげる。残業でてんてこ舞いの人がいれば、自分が助けられる範囲で助けてあげる。英語が得意なら、英語学習に悩んでいる人のアドバイスに乗ってあげてもいい。そのほか、小さなことでも気を配る、よいところを褒め、悪いところには目をつぶるなど、ほんの些細なことでいいのだ。

これらを相手の利益を第一に考えて行うのである。それが相手に対する真の愛情表現であり、あなたが見返りを期待することなく行っていることを相手が知れば、相手はあなたの誠実さに心を打たれ、あなたのことを好きになってくれる可能性大だ。

どんな人間関係においても、**相手にマイナスの感情を与えていないか、相手にプラスの感情を与えているか、自問してみるといいだろう。**こうしたことが自然にできるようになれば、愛し、愛されたいというニーズは満たされ、孤独感に苛まれることもなくなるだろう。

わずかな事例だけで「一発アウト」にしない

他人とバランスをとりながら良好な関係を築いていくには、人を判断するとき、行為を性格と結び付けるのではなく、行為そのもので判断することが大切だ。 前者を心理学用語で「属人的」、後者を「属事的」というが、どんなときも「この人はこういう人だから」と性格に結び付けて判断していると、その人の本当のよさが見えにくくなってしまう。

たとえば、ある人が締め切りを守れなかった場合、「属人的」に物事を考える人は、「この人は締め切りが守れない人だ」「期限を守れないルーズな性格だ」と、締め切りが守れなかった事実をその人の性格と結び付けて考える。一方、「属事的」に物事を考える人は、「1回締め切りを守らなかった」ことを事実として受け止め、それ以上の意味を求めることはない。締め切りを守らなかったかもしれないが、ただその事実だけを受け止め、締め切りが守れないルーズな性格であるとは判断しないのだ。

「もしかしたら本当にルーズな人かもしれない。しかし、本当は几帳面な人なのに、やむを得ない事情があって今回は遅れてしまっただけかもしれない」。彼らはそう考えるのだ。

属人的に物事を考えていると、ほんの小さなわずかな事例だけで、相手にレッテルを貼ってしまいがちだ。いったん否定的なレッテルを貼ってしまうと、もはやその人の本当のよさを見出すことが困難になってしまう。

たった一度のネガティブな事例だけで相手に見切りをつけるような「一発アウト」の判断は、その人の潜在能力を開発する機会を永遠に奪ってしまうことになりかねない。起きてしまったことは起きてしまったこととして、フラットに考えるようにしよう。

そして、**どんなトラブルが起こっても、相手の自尊心だけは決して傷つけてはならない。**

昨今、企業内における上司からの長時間に及ぶ暴言や人格否定発言によるパワハラ、モラハラの事例は少なくない。人間関係でトラブルが生じたとき、どう処理するかによって豊かな人間関係が築けるかどうかが決まるといっても過言ではない。

人は、感情的になるとつい相手の自尊心などお構いなしになりがちだが、いったん相手の自尊心を傷つけてしまったら、その人とはもう二度と良好な関係を築くことはできなくなってしまうだろう。

人間、だれしもいちばん大切なのは自分であり、自分を貶める人に対して決して好意を

持ったり尊敬したりすることはないのだ。

逆に、自尊心を高めてくれる人のことは、どうしても嫌いになれないというのも人間の本質だ。たとえどんなに出来が悪い部下、どんなに頼りない上司であっても、常に自分の人格を尊重して接してくれる相手なら、憎みようがないのである。

トラブルが生じたときや腹立たしいことがあったときも、相手の行為だけに目を向け、行為そのものを批判するにとどめておこう。決して相手の自尊心を傷つける言葉は発しないよう心がけよう。相手の自尊心を傷つけてしまうと、人間関係が悪化するばかりか、自らに品格がないことを示すことにもなりかねない。

このことはどんな人間関係にも共通することだが、とくに会社組織に属している人なら、部下の育成などの場面で意識してみるといいだろう。

毒になる家族・親族からは距離を置く

渡部昇一氏は家族・親族との付き合いについて著書で次のように述べている。

「知的生活に最も障害になるのは、重病を除けば、家族と親族の問題である。その他のことなら、近代生活においては、自分の好きなように遮断できる。しかし親、女房、子供、兄弟姉妹のからんだ問題からは、逃げようがない。この関係がこんがらがってくると、普通の神経の持ち主では知的生活を不可能にされてしまう。(中略)家族と親族は知的生活にとっては、だいたいマイナス要因であると考えてよい」

また、作家の下重暁子氏も、「家族ほどしんどいものはない」とし、家族がらみの事件やトラブルは数え切れないのに、日本では必要以上に家族が美化されていると嘆く。

家族・親族との付き合いと一口にいっても、よい付き合いもあれば毒になる付き合いもあるだろう。だから「家族・親族は仲よくすべきだ」という理想論を説くつもりはない。

実際、付き合わないほうがいい家族・親族も世の中にはたくさんいるし、渡部氏も看破されているとおり「知的生活にとっては、だいたいマイナス要因である」と私も思う。

毒になる付き合いというのは、自分と相手との境界線が希薄である場合が多いのではないかと思う。それゆえに自分の希望や価値観を相手に押し付けたり、相手を自分の思い通りに操ろうとしたりするのである。

「私はあなたにこうしてほしかったのだから、あなたはこうすべきだ」
「兄弟なのだからこれくらいのことはしてくれて当然だ」
「私が困っているときに助けてくれないのなら、あなたが困ったとき助けてあげないよ」
「親族ならこれくらいのことはしてくれて当然」

お互い成人したら家族・親族であっても相手の人格を尊重すべきであるが、子どものころのパワーバランスがお互い成人してからも延々と続くことがある。親にとって子どもはいくつになっても「子ども」であり、年下の兄弟は永遠に「年下の兄弟」というわけである。パワーが強かった者が偶然いい人で、相手の人格を認め、誠実に接してくれればいいのだが、それはあくまでも理想であり、そうでない事例は山のようにある。

「毒親」「親ガチャ」など、親は選べず、親次第で人生が決まってしまうという人生観を持つ人がふえているが、とくに親との関係に悩まされ、神経を痛めつけられている人は驚くほど多い。

親子だからといって「誠心誠意接していたらいずれは自分の誠意が相手に伝わるだろう」という幻想は抱かないほうがいいだろう。親切心からあれもこれもしてあげたとしても、相手が変わるかどうかは相手次第だからだ。相手が変わらなければ、下手をしたら底なし沼まで引きずりこまれる可能性すらある。それを回避するかしないかは自分次第だ。成人しても子どものころのパワーバランスのまま人格を無視して接してくる家族・親族とは極力距離を置くのが賢明だ。

「家族だから」「親族だから」といって必要以上に気を遣う必要はない。極端な場合、法的義務があること以外では一切付き合いをやめるという方法も取らざるを得ないこともあるだろう。そうすることでしか自分を守る手段がない場合は、それも致し方ない。

「家族・親族だから仲よくしなければならない」という通俗的な倫理観のために自分の人格を無視して接してくる家族・親族と仲よくする必要はない。自分の心を守ろう。だれにでも自分を大切にする権利はある。

自分の唇を制する者が最大の勝者

他人と衝突してばかりいると、さまざまな妨害に遭い、本来の目的を果たせなくなる。他人と衝突しない方法、他人から恨みつらみを買わない方法はあるのか。

私はないと思っている。なぜならたとえ本人が100%純粋に真心から行ったことであっても、誤解する人は誤解するし、ひがんだり恨んだりする人もいるからだ。

ひどい場合は〝誤解〟を取り越して〝曲解〟する人もいる。それを自分の努力でどうにかしようにも、どうにかなるものではない。残念ながら世の中には理屈を理解しない人も一定数はいるものであり、理屈が通らない相手に理屈で説得しようとしても、それはまず不可能である。そういう人たちとは関わらないようにするしかない。仕事上関わらざるを得ない相手の場合にしても、極力、関わる時間をへらそう。

ただ、**完璧とはいえないまでも、他人との衝突を極力へらす方法はある。それは自分がどんなに罵られたり馬鹿にされたりしても、口を慎むことである。**相手を非難したり悪口をいったりするのは御法度だが、誤解を招くような言葉も慎もう。**自分さえ言葉を慎んでいれば、たいていの衝突は避けられるはずだ。**

たとえば、相手があなたのことを誤解して誹謗中傷してきたとしよう。理屈が通る相手であれば、相手の誤解を解くこともできるかもしれない。しかし理屈が通らない相手だとわかったら、いい返したりしてはならない。相手にしないで無視しておこう。

無視していると、最初こそは「無視するな！」と怒ってくるかもしれないが、それすらも無視し続ければ、相手もあなたに対してもはや怒りようがなくなるので、やがて何もいわなくなる。理屈が通らない相手にはこうするしかない。

聖書には言葉を慎むよう諌めている箇所が散見される。

「言葉が多ければ咎《とが》を免れない、自分の唇を制する者は知恵がある。正しい者の舌は精銀である、悪しき者の心は価値が少ない」（旧約聖書　箴言10：19〜20）

「口を守る者はその命を守る、唇を大きく開く者には滅びが来る」（旧約聖書　箴言13：3）

私はたとえどんなに罵られたり軽んじられたりしても、決していい返さないことにしている。汚い言葉を使ってしまうと、それによって溝ができかねないし、いったん溝ができてしまうと、仮に仲直りができたとしても、また何かの拍子にそのときの恨みつらみがぶり返しかねない。根に持たれてしまうと何年何十年たってもぶり返される可能性があるので気を付けよう。私が言葉を慎んでいるのはこのためだ。

口頭でのコミュニケーション以外にも、メールやSNS等の文字でのコミュニケーションにも注意が必要だ。口頭ではなかなか伝えにくいことであっても、メールやSNSでは相手の顔が見えないので、なおさら相手を非難しやすい。だからこそ、文字でのコミュニケーションは何倍も気をつけなければならないのである。

言葉を慎もう。慎んで損することなどない。口頭であれ文字であれ、汚い言葉、心のない言葉は自分から発さないようにしよう。そうすれば他人との無用な衝突はかなり避けられるだろう。

いまある人間関係や置かれた場所に感謝する

だれでも否応なしにそうした困難や「絶対に許せないこと」にぶつかるのは世の常だ。そんなとき、気持ちを切り替えるヒントとなるのが、「八福の教え」（新約聖書・マタイによる福音書5：3〜10）だ。


「心の貧しい人たちは、さいわいである、天国は彼らのものである」

「悲しんでいる人たちは、さいわいである、彼らは慰められるであろう」

「柔和な人たちは、さいわいである、彼らは地を受けつぐであろう」

「義に飢えかわいている人たちはさいわいである、彼らは飽き足りるようになるであろう」

「あわれみ深い人たちは、さいわいである、彼らはあわれみを受けるであろう」

「心の清い人たちは、さいわいである、彼らは神を見るであろう」

「平和をつくり出す人たちはさいわいである、彼らは神の子と呼ばれるであろう」

「義のために迫害されてきた人たちは、さいわいである。天国は彼らのものである」

これを読むと、苦しみや悲しみが幸せの源泉であると説いており、書いてあることが逆ではないかと思う人も多いだろう。

しかし、「大人の勉強」を深め、人生経験が豊富になればなるほど、これらの命題の正しさが理解できるようになるはずだ。

生きていれば逃れることのできない苦しみや悲しみ。これらの困難に突発的に見舞われると、だれでもすぐに取り乱してしまいがちだ。

しかし、こうした困難や苦しみにぶつかっても屈することなく学び続け、立ち向かっていると、人間は鍛えられ、抵抗力がつくようにできているものだ。

そして、**「絶対に許せない」ことや苦しい経験が多くあればあるほど、何も心配事のないふつうの状態がいかにありがたいことか、いかに恵まれたことかと実感できる。**いわば、苦労を重ねて成長することによって得られる幸福感だ。

一方、経験不足で未熟な人間であればあるほど、ふつうの状態を当たり前ととらえ、感謝することができないのだ。長い目で見れば、このことこそとても不幸なことといえる。

何かに苦しめられたり、悲しまされたりした経験があればあるほど、「(他人に)苦しめられないこと」や「(他人に)悲しまされないこと」が、いかにありがたいかがわかるのだ。

自分ではどうにもできないことだからこそ、何もないふつうの状態に感謝できるのだ。

だれだって困難や苦労は避けたいのが本音だが、それらを避けて通ることができないのが人生だ。ならば、**苦しみのないふつうの状態であることをありがたく思い、そのはかなさに感謝して生きていこう**と説いている。

コロナ禍の休校で大学の授業のほとんどがオンラインに切り替えられ、留学は白紙になり、学生たちの多くの貴重な学びの機会が失われた。インバウンドの消滅によるさまざまな業種の業績悪化、雇い止めやリストラ、倒産、給与カット、テレワークによる家庭不和。行動制限により遠方の老親にも簡単に会えなくなった。こうした「困難」に世界中が襲われた2年間を振り返ると、当たり前の日常がいかにありがたいかをひしひしと感じる。

苦しみを経験すればするほど、他人の苦しみを理解できるようになり、困っている人に手を差しのべたり、だれかの役に立ちたいと願ったりするようになるだろう。そうした、何かに貢献できる自分になることこそが、本当の幸せではないだろうか。

いま当たり前のようにある人間関係、当然のように置かれた自分の立場を大切にし、苦しみや悲しみは「幸福の源泉」であるととらえると、困難に振り回されることが少なくなるだろう。

そして、「八福の教え」はもう一つのとらえ方として、次のように読み解くこともできる。

「私たちは家族や仕事、友人、健康、お金、快楽などを大切にして生活しているが、これらは完全ではなく、はかないものであり、いまある命もやがては消えていくものである。こうした移ろいやすい条件に依存しない生き方こそ、真の幸福である」

聖書はときに多くの示唆を与えてくれる。

自分と上手に付き合い、孤独に強くなる

付き合いというと、とかく他人との付き合いを思い浮かべる人が多いが、私は他人との付き合いと同様、いや、それ以上に大切なのは自分自身との付き合い方だと思っている。

というのも、**他人の価値基準に従って本当はやりたくもないことを不承不承したり、本当の自分を偽って他人に迎合したりしても、それでは本当の自分が育っていかないし、自分の人生を心から愉しむことができないと思うからだ。**

「大人の勉強」をすれば本当の自分を育て、人生を格段に面白くワクワクさせることができる。ただし「大人の勉強」には莫大な時間が必要であり、孤独に徹することが要求される。

すぐれた学者、音楽家、作家、画家、棋士たちは、自分が価値あると認めたものに対してそれ相当の時間、孤独に徹して自分を磨いたからこそ頭角を現すことができたのである。

孤独を愛し、孤独でいることが苦でなくなると、他人が決めた基準ではなく、自分の内部にある基準で行動することができるようになる。

名誉やお金など、外的報酬が得られるかどうかよりも、自分が納得できる仕事ができたか否かという視点で自分を評価するようになる。だからこそ、外的報酬が得られるか否かでは動じない強固な自分が築けるのである。

さて、「大人の勉強」に取り組み、長期間孤独で過ごすことは寂しくないかと思う人もいるだろう。しかし私の答えはノーである。

なぜなら「大人の勉強」をしている間、イキイキとした明るい情景がイメージできるからである。私の場合、私の作品を読んで愉しんでくれる読者の顔が浮かんできたり、私が主催するイベントに参加して喜んでくれる人が浮かんだりしてくる。そしてそれが現実化する日が待ち遠しくて待ち遠しくて仕方がなくなり、寂しいという感情が襲ってくることはないのだ。

孤独を愛して学び続けると、少々のことでは動じない強固な自分が築き上げられる。さらに社会の役に立っている自分の姿がイメージできるようになれば毎日がワクワクドキドキの連続になる。寂しいという感情が襲ってくる隙間などなくなるのだ。

第5章

「学び」こそ最高のエンターテインメント

【知的ニーズの満たし方】

価値のあるものはたやすく手に入らない

三たび旅客船を思い浮かべてほしい。私たちにとっての「知的ニーズ」とは旅客船の「性能」ともいえるものだ。「船体」が正常かつ「燃料」も十分、「交通ルール」も熟知し、「旅客船内の人間関係」も円満な旅客船であっても、「性能」が低ければ遠方まで行けないだろうし、荒波で転覆したりするかもしれない。逆に「性能」が高ければ、想像すらできなかった遠い場所まで行けるかもしれない。

私たちも「知的ニーズ」を満たせば、想像すらできなかった境地までたどり着けるかもしれない。この章ではそんな可能性を秘めている「知的ニーズ」の満たし方を探ってみよう。

価値のあるものは総じて習得が困難といえよう。しかし、だからこそ習得した暁に高い価値が生まれるのである。たとえば、フィギュアスケートのアクセルジャンプは習得するのがひじょうに困難だが、だからこそ習得したときの喜びは絶大で、最高評価が得られる。「費やす労力と得られる恩恵との関係」を図に表せば次ページのようになるだろう。最初

●費やす労力に比例して得られる恩恵もふえる

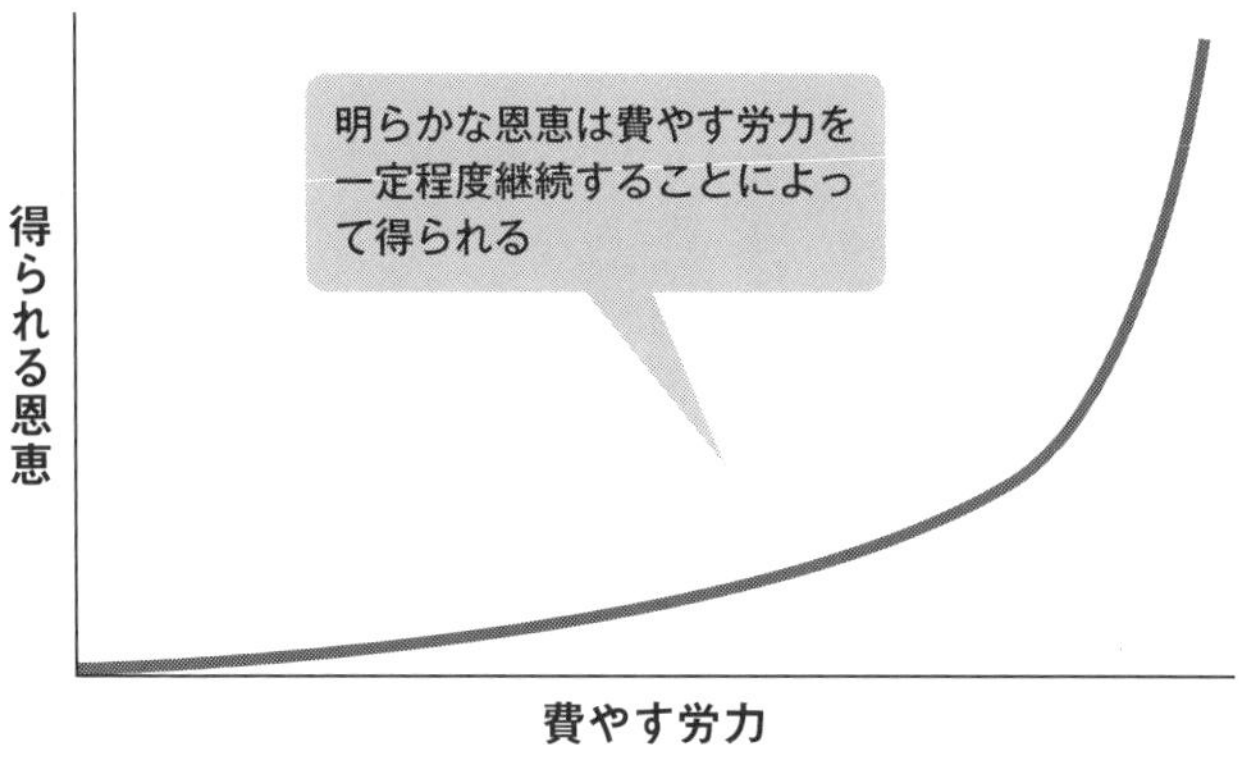
明らかな恩恵は費やす労力を一定程度継続することによって得られる
得られる恩恵
費やす労力

のうちは労力が多い割には得られる恩恵は少ないのに対し、ある一点から得られる恩恵が急にふえはじめる。最初のうちは得られる恩恵が少ないために嫌になって挫折する人が続出することだろう。彼らはもう少しだけ辛抱して続ければとても大きな恩恵が手に入ることが信じられないのだ。だからやめてしまうのだ。

　しかし、**簡単なことをいくら続けても、得られる恩恵はふえてはいかない。**

　バラエティ番組を見るのはいい気晴らしにはなるかもしれないが、何の労力も必要としないばかりか、それによって得られる恩恵がふえていくということはまずない（バラエティ番組の評論家になるというのなら別かもしれないが)。つまり、子ども時代にバラエティ番組を見て得られた楽しみのレベルが同じレベルでずっと続くのである。子どものころの1の愉しみが30歳になっても1の愉しみ、50歳になっても1の愉しみでしかない。

その点、「大人の勉強」はやればやるほど愉しみが深まる。子どものころに1の愉しみしか味わえなかったとしても、続けていくうち、その愉しみが2になり、4になり、16になりと、ふえていく可能性がある。

そう考えれば、勉強こそが人生最高のエンターテインメントといっても過言ではない。勉強しないほうがもったいないのだ。

何歳からでも大学で学ぶ門戸は開かれている

私は7つの大学学位（学士号5つ、修士号2つ）を取得しているが、そのうち5つは40歳を過ぎてから取得している。

具体的には、青山学院大学国際政治経済学部卒業、慶應義塾大学文学部卒業、日本大学法学部卒業、日本大学商学部卒業、ロンドン大学哲学部卒業、英国シェフィールド大学大学院言語学研究科修士課程修了、金沢工業大学大学院工学研究科修士課程修了だ。

それ以外にもロンドン大学神学部のサーティフィケート課程を修了している。科目等履修生として上智大学大学院哲学研究科に籍を置いていたこともある。そのほか、京都芸術大学の単位認定にもなる科目を東京藝術学舎で履修したこともある。

私は自慢がしたいからこんなことを書いているわけではない。そもそも大学で学んだこと自体は何の自慢にもならないし、新約聖書に「知識は人を高ぶらせる。（中略）自分は何か知っていると思う人がいたら、その人は、知らねばならないことをまだ知らないのだ」（コリントの信徒への手紙1　8：1・2）と記されているとおり、知識をいくら詰め込んでも、それはそれだけの話であり何ら尊敬に値するものではない。

お伝えしたいのは、**やる気さえあれば学問は年齢に関係なくできる**ということ、そして**学問をするなら大学で学ぶことが一つの有効な手だてであるということだ。**

とはいえ、「いまさら大学で学ぶお金なんてない」と思い込んでいる人も多いだろう。確かに通学課程であればかなりの費用がかかるし、多くの人にとって家計が逼迫しかねないだろう。しかし**通信教育課程という安価で学問ができるありがたい制度がある。**費用面の心配で最初から諦めている人は、ぜひ通信教育課程がある大学で学ぶことも考えてみてほしい。**通信教育課程であっても正規の学位は取得できるし、通学課程と通信教育課程に学問的な差をつけている大学（大学院に進学するとき、通信教育課程修了だと不利になる大学）は寡聞にして知らない。**

ただ、学位取得まで本格的にやろうとは思っていないという人であれば科目等履修生として受講したい科目だけ受講する手もあるし、社会人講座を受ける手もある。学問をやりたいという人はやり方次第で大学で学ぶ機会はいくらでも作れる。

では、具体的な金額はいくらか。私の場合、比較的短期間で卒業できたこともあるが、教科書代・参考書代やスクーリング代などの経費を合算しても卒業までにかかった総額は慶應義塾大学文学部で40万円台、日本大学法学部および商学部でそれぞれ30万円台、ロンドン大学哲学部で70万円台くらいのものだった。海外旅行1回分程度の金額で1つの大学の学位が取れたのだ。しかもその金額も一括でなく分割で払うこともできる。在籍期間が長くなったりスクーリングに交通費や宿泊費がかかったりする人であれば、もう少しかかると思うが、ほとんどの人にとって金銭的に手も足も出ないというほどではない。捻出しようと思えば十分捻出できる金額なのだ。それでいて正規の大学学位が取得できる。

気になる年齢制限だが、通信教育課程の場合は年齢に上限を設けていないところが多く、慶應義塾大学、日本大学、ロンドン大学では高齢の学生も多く見られた。30～40代は当たり前、50～60代も見られた。高齢だからといって恥ずかしがることもない。学びたいときが適齢期だ。社会人であろうがフリーターであろうが定年退職した人であろうが、自分のペースで自分の好きなだけ勉強できる。それが通信教育課程だ。

通信教育課程のある全国の私立学校

私立大学

- 法政大学
- 慶應義塾大学
- 中央大学
- 日本女子大学
- 日本大学
- 玉川大学
- 佛教大学
- 近畿大学
- 明星大学
- 創価大学
- 産業能率大学
- 愛知産業大学
- 京都芸術大学
- 帝京平成大学
- 北海道情報大学
- 大阪芸術大学
- 聖徳大学
- 日本福祉大学
- 武蔵野美術大学
- 東北福祉大学
- 中部学院大学
- 東京福祉大学
- 奈良大学
- 星槎大学
- 神戸親和女子大学
- 東京未来大学
- 帝京大学
- 姫路大学
- 九州保健福祉大学
- 環太平洋大学
- 早稲田大学
- 大手前大学
- 京都橘大学

私立大学院

- 日本大学大学院
- 佛教大学大学院
- 明星大学大学院
- 聖徳大学大学院
- 東北福祉大学大学院
- 名古屋学院大学大学院
- 東京福祉大学大学院
- 日本福祉大学大学院
- 京都芸術大学大学院
- 京都産業大学大学院
- 帝京大学大学院
- 九州保健福祉大学大学院
- 帝京平成大学大学院
- 星槎大学大学院

私立短期大学

- 大阪芸術大学短期大学部
- 近畿大学短期大学部
- 自由が丘産能短期大学
- 豊岡短期大学
- 聖徳大学短期大学部
- 近畿大学九州短期大学
- 愛知産業大学短期大学
- 東京福祉大学短期大学部
- 帝京短期大学

公益財団法人私立大学通信教育協会のウェブサイトより（https://www.uce.or.jp/）

難解なテキストと知的格闘することが血肉となる

では、なぜ大学で学ぶことが有益なのか。その**最大の理由は特定の学問分野（たとえば文学部なら文学、経済学部なら経済学、法学部なら法学）を系統立てて幅広く学ぶことができるからである。**「系統立てて」というのは基本的な科目を学んだ後により専門的な科目を学ぶという順序があったり、押さえておかなければならない科目が必修になっていたりするということである。しかもテキストや参考図書も指定されるので、自分で手当たり次第に探すよりはるかに効率がいい。

一方、完全な独学だと自分の興味がない科目は勉強がおろそかになりやすいし、基本的な概念を理解していないのにより高度な専門科目をはじめるという非効率的なことをやらかしかねない。指定されたテキストも参考図書もないわけだから、自分の興味本位に読む本を探すことになるが、カリキュラムそのものがないため、自然と読みにくい本には手が出にくくなる。

しかし大学で学ぶとなると、カリキュラムに沿って勉強をしていくことになるので効果的に学べる。それほど興味がないテキストも読まなければならないため、一見すると面倒くさそうに思えるかもしれないが、私はこの系統立てた学びこそが幅広い視野を持つうえで重要だと考えるのである。

これが大学で学ぶのではなく、単に検定試験合格を目指して学ぶということであれば、たとえば、法律関係の資格（宅建士でも社会保険労務士でも知的財産管理技能士でも）を受ける場合、その試験に合格するためだけに必要なことを勉強すればいいということになる。手っ取り早く合格しようと思えば、それだけに集中したほうが効率もよい。

しかしそれでは、刑法や刑事訴訟法、憲法などといった法学の基本的科目は学ぶモチベーションが湧かないであろう。それでは法律の全体像は見えてこない。一方、大学の法学部を卒業するには基本的な法律科目は必須科目になっていて否応なく履修するので、それらをすべて履修していくうちに法律の全体像が見えてくる。私が大学で学ぶことをおすすめする理由はここにある。

もう一つ強調したいことは、**大学で使用するテキストは大部数を売ることを目的としているのではなく「（各分野における）真理が伝播することを目的に作られた本」であること**

である。たとえば大学通信教育課程のテキストは受講生に必ず配本されるのだが、一般の人に流通するものではないので、どのようなテキストを執筆しようが発行部数に差がつくわけではない。したがって執筆陣は「売れるか・売れないか」をまったく気にすることなく、ひたすら学問的価値の高いテキストを執筆しようとする。通信教育課程のテキストは「2ページ読んだだけで頭が痛くなる」ような難解なものが多いが、それは巷にあふれるポピュラーな本によくあるように「難解な理論は理解できる人が少ないから、だれでも理解できるようにかみ砕いて書いておこう」などということがないからだろう。ほとんどのテキストを開いても、そこに一般人向けの本との歴然とした差を見出すだろう。

しかしそのような難解なテキストと知的格闘をすることは、一般人向けの本を興味の赴くまま手当たりしだい読んで断片的な知識を蓄えるのとは違った価値がある。何十年という〝時の試練〟を、何十回もの改訂を経てくぐり抜けて存在するテキストは、(各分野における)真理に到達する基盤となってくれるものである。実際、私が通信教育課程で学んだテキストの多くは在学中に赤線だらけになったが、卒業後も事あるごとに何度となく見返している。まさに自分の血となり肉となってくれている。

さらに大学から指定される参考図書も学問的価値が認められているからこそ参考図書に

なっている。それらの多くは一般の書店には置かれていないし、置かれていたとしても気軽に手に取って読むようなものではない。たとえば、私が慶應義塾大学文学部通信教育課程で学んでいたとき、プラトンの『国家』、アリストテレスの『ニコマコス倫理学』、カントの『道徳形而上学原論』や『純粋理性批判』、スピノザの『エチカ』、デカルトの『省察』などの多くの古典を読んだが、このような古典はすらすら読み進められる本ではないので、大学の指定参考図書にでもなっていないかぎり自発的に買って読むこともなかっただろう。仮に何かのきっかけで買うことがあっても、途中で読むのをやめていたに違いないと思えるほど読みにくい本なのだ。

しかしこうした良質の古典を何度もくり返し読むことで価値ある思想が理解できたことは私の人生にとってかけがえのない知的体験となった。**私が大学で学ぶことをおすすめしたい理由の一つは、こうした難解だが学問的に価値があると認められた古典的名著に出合え、それらと知的格闘をする機会が持てることである。**

大学ではただ単に「読むこと」が求められるのではなく、「書かれてある内容を深く理解すること」が求められる。合格しなければ単位が取れない仕組みになっているので、内容を深く理解せざるを得ないわけであるが、それこそ大学教育ならではの特色ともいえよう。

さらに大学通信教育課程で学び、卒業までこぎ着ければ、副産物もたくさん得られる。主たる目的は専門知識を身につけることにあるが、それ以外にも学習過程で文章読解力や文章執筆能力が高まる。通信教育課程はレポートと論述試験がメインであるから、卒業までに莫大な量の文章を書くことになる。しかも、通学課程で求められるレポートとは異なり、提出したレポートはすべて添削されて返却されるし、合格レベルに達していないレポートは何度でも書き直しさせられる。そこに〝下駄を履かせる〟といった妥協は一切ない。であるから、当然、読解力も文章執筆能力も磨かれる。

それだけではない。自己管理能力、克己心、集中力などの力も必然的についてくる。自己鍛錬ができていない人は目標を掲げても、ほんのちょっとした障害があればすぐに投げ出すクセがあるが、**「大学通信教育課程を最後までやり通す」という難関を突破しようと努力を続ければ、その過程で実行力(自分が設定した目標を成し遂げる力)が養われていく。**これは一見すれば、直接お金にならないし周りの評価につながらないように見えるかもしれないが、ひじょうに貴重な力であることには違いない。

「易→難」学習法で学ぶ

大学通信教育課程のテキストは難解なものが多く、指定された課題図書や参考文献も難解で途中で投げ出す人がとても多い。私も何度も投げ出したくなった。しかしここで学位を取得すると決めたのはほかならぬ自分である。自分で決めたことを自分で破るなんてもってのほかだ――そこで私はなんとか学位取得までこぎ着けようと知恵を絞った。その結果、生み出したのが「易→難」学習法である。

「易→難」学習法とは、その名のとおり、易しいものから勉強を開始し、理解度が深まったところで難しいものに移るという学習法である。

たとえば、指定された英語の小説を読んでその論評をするという課題があるとき、まずは映画化されていないかを確認してみる。運よく映画化されていれば、まずそれを見て内容を把握する。次に訳本が出ていないか確認し、あれば入手して読み、さらに理解度を高める。そして最後に課題図書を読みはじめ、課題を仕上げるのである。

この「易→難」学習法は私の経験からいっても、およその学問分野でも応用できる。ロンドン大学神学部で勉強をはじめたとき、聖書に関する知識はほぼゼロに等しく、いきなりロンドン大学指定の専門書を読破するのは荷が重かった。そこでまず漫画版の聖書を読み、映画化された聖書をDVDで見て、初心者向けの聖書の解説本を読み、聖書を朗読したテープを聴き……という具合に背景知識を蓄えていき、ある程度自信がついてから専門書に移っていった。すると当初は難しくて手も足も出なかった専門書が面白くて仕方がなくなったのである。

インターネットで検索すれば、初心者向けの良質な動画がヒットするかもしれないし、手っ取り早く概要を知りたければ、Wikipediaも利用できる(ただし、記載された情報を鵜呑みにしないよう注意が必要である。信頼できるか否かを見分けるポイントとして、「良質な記事」には青い星印、さらに上の「秀逸な記事」には金色の星印がページの右上に付いている)。

あまりに難しすぎて投げ出したくなるような難解なテキストに遭遇したら、まずは自分が取り組めそうな易しい教材を探してみよう。漫画、ダイジェスト本、動画、映画、訳本など利用できる場合は利用して最後までやり抜こう。

〝セレンディピティ〟という嬉しい好循環

「セレンディピティ(serendipity)」という英語がある。これは「掘り出し物を偶然見つける才能」とか「掘り出し上手」と訳されることがあるが、**「本来の目標は達成できなかったが、その目標を目指して頑張っていたがゆえに別の新しい道が開けてくる」**というニュアンスで使われる言葉である。

私はこのセレンディピティを何度か経験している。一例を挙げよう。私は43歳のときに東京大学大学院哲学研究科に進学することを決意した。東大の入試は5教科が必要だが、東大大学院の入試は英語と第二外国語と哲学の3科目しかないので私にも合格の可能性があると睨み、猛勉強に猛勉強を重ねて受験した。中年の男がクリスマスも年末年始も返上して毎日10時間以上猛勉強を続けて受験したのである。

しかし結果は不合格だった。合格発表の日、掲示板を何度確かめても私の受験番号はなかった。合格する自信があっただけにショックは大きかった。数分後、私は気が抜けたように近くのカフェに流れ込み、まったく想定外の結果に呆然となった。

しかしその翌日にはすぐに気持ちを切り替え、上智大学大学院哲学研究科に入ることを決意すると、すぐさま出願し、合格した。こうして同年の春学期には同大学院に籍を置いて哲学の勉強を続けた。翌年、東大大学院入試に再度挑戦しようと思っていたからである。だが、その後東大大学院に進学する是非を再検討した結果、方向転換してロンドン大学哲学部遠隔教育課程に入学することにした。

そうして私は同年秋にロンドン大学に入学、3年間で卒業するに至った。あとで振り返ってみれば、東大大学院入試に向けて必死に哲学の勉強をしていたからこそロンドン大学哲学部卒業という新たな道が開けたことがわかる。大学院入試向けに哲学を猛勉強していなかったらロンドン大学で学ぼうという気持ちすら湧いてこなかっただろうし、ロンドン大学での勉強も知識不足が原因で挫折していただろう。**東大大学院入試に向けて懸命に哲学の勉強に励んだことが、ロンドン大学卒業に生かされたのだ。**

またこうも考えることができる。東大大学院に合格していたとしても、修士号取得まで学費が続かなかった可能性が高いし、審査に合格するだけの修士論文が書けずに中退していたかもしれない。そう考えれば東大大学院は中退する可能性が高かったのである。私にとっては「ロンドン大学哲学部卒業」のほうが「東大大学院中退」よりはるかによい選択肢だったことがわかる。まさに〝嬉しい好循環〟だったのだ。

このようにある目的を目指して頑張っていたものの、その目的は達成できなくても、その過程で養った実力が別の新しい道を開いてくれることがある。それこそがセレンディピティなのである。私が「努力することそのもの」に価値を見出すのはこのためである。

ただし、がむしゃらに努力さえすればいいかというとそういうわけでもない。努力するときに気をつけなければならないことがある。それは、目標にしがみついてはならないということだ。

というのも目標にしがみつけばしがみつくほど、その目標が達成できなかったときに燃え尽きやすいからである。とくにそれが顕著なのがスポーツ選手だといわれている。小さいときから野球なら野球、サッカーならサッカーという具合に一筋でやってきて、絶対にプロで一流になると決め込んでいたのに、一流になることが果たされないことを悟った瞬間の衝撃は耐え難いものであろう。こういうとき、人は燃え尽きやすい。

私はスポーツ選手を例に挙げたが、スポーツ選手以外であっても目標にこだわりすぎている人は、その目標が達成できなかったときのことも考えておくといいだろう。失敗したときのことは考えたくないという人もいるかもしれない。成功する絶対的な自信があるという人もいるだろう。はたまた成功するまでいつまでも続けるという人もいるだろう。その意気込みはすばらしい。しかし、世の中すべてがすべて自分の努力したとおりの結果が出るとは限らない。まさに〝運命のいたずら〟としかいいようのないことが起こるのがこの世の中なのである。

だからこそ、うまくいかなかったときのことも考えておこう。方向転換することでセレンディピティへの道が開けてくることもある。努力をムダにしないためにも柔軟に考えることが大切なのだ。

1日10時間、ひたすら勉強に打ち込んだ10年間

ここで私が集中的に勉強に明け暮れた10年間について、そしてその経験からお伝えしたいノウハウについて述べておきたい。

41歳のある日のこと、出版翻訳家として行き詰まりを感じていた私は、思い立って金沢工業大学大学院に願書を提出した。同大学院の東京サテライトキャンパスは自宅から自転車で通え、1年間でＩＴ関連の修士号が取得できるというのが魅力だった。

多少はＩＴの知識はあったので、何とか大学院入試には合格したものの、プログラミングの素養のない文系出身である私には講義について行くのは想像を絶するほどハードだった。そこで講義の理解を高めるために大学院に通いながらＩＴスクールに通ったり家庭教師をつけたりして専門知識を身につけた。さらに学習のモチベーションを高めるために片っ端からＩＴ関連資格に挑戦したりもした。かくして1年３６５日、毎日10時間程度を勉強に費やすこととなった。想定外の事態だったが、中退したくなかった私はがむしゃら

に勉強する日々を送り、無事修士号を取得した。当時、ほぼ執筆業は開店休業状態だった。

そんな折、突如浮かんで来たのが慶應義塾大学の通信教育課程であった。学費も安く、自宅からスクーリングに通えることがわかると、すぐさま出願し、合格すると翌年4月には入学した。

ところが入学するとさらにハードな日々が待ち構えていた。マイペースで勉強できると思っていたものの、どのテキストも難解を極め、レポートも簡単には書けないような課題ばかり。定期試験も簡単には通してもらえず、科目によっては3度も4度も追試を受ける羽目になった。かくして同大学でも1日10時間の勉強を余儀なくされた。

同大学で哲学や心理学、文学などの学問に励んでいると、もはや世俗的な成功には魅力を感じなくなり、学問の真理に近づきたいという思いのほうが強くなった。**真理追究の魅力に取りつかれ、一心不乱に学問に集中した。**

かくして学問への憧憬はとどまるところを知らず、その後も日本大学で法学や商学、ロンドン大学で哲学や神学を学び、さらには東京藝術学舎で芸術学の科目を履修するなど、約10年間にわたり1日10時間の勉強を続けることとなったのである。

私の歩んできたこの10年間は、多くの人の生活とはかなりかけ離れたものに違いない。

というのも「1日10時間」といえば、食事や入浴、睡眠など、生活するうえで必要な時間を除けば、ほぼすべての時間を勉強に費やしているわけであるから、仕事を持ち、家族のいる社会人にとっては現実的ではない。しかし私のこの経験から社会人の方にお伝えしたいノウハウが2つある。

1つは、**自分が勉強してきた分野と関連性の高い分野を勉強すれば驚くほど理解しやすい し、両方勉強することで相乗効果が生まれ、元々勉強していた分野の理解も深まる**ということだ。関連性の高い分野とは、たとえば、哲学と神学、哲学と言語学、哲学と心理学、経済学と商学、商学と経営学、政治学と経済学、政治学と社会学、工学と理学といったところだろうか。

新たな学問分野に着手すると、それまで見えなかったものが見えてくることだろうし、元々知っていた分野の理解も深化する。1＋1が2になるのではなく、3にも4にも5にもなり得るので、斬新なアイデアも生まれてくるかもしれない。これから新しい分野の勉強にトライしたいと思った人は、どの分野を選ぶかのヒントにしてもらえれば幸いである。

もう1つは、**勉強している分野に関連する資格があれば、それに挑戦することでスムーズに関連資格取得につなげることができる**ということだ。私の例でいえば、金沢工業大学大学院時代はＩＴ関連の資格にチャレンジしていたが、それが授業の理解を深める結果となったし、日本大学法学部時代は授業で習ったことが法律関係の資格取得につながった。さらに日本大学商学部時代は簿記検定や経営学検定にもチャレンジしたが、商学の知識を深めるのに役立った。

哲学や神学など、関連資格がない（もしくはほとんどない）分野もあるにはあるが、自分の勉強している分野の関連資格を探してみれば、意外と見つかるかもしれない。インターネットで簡単に調べることができるので、ぜひ探してみてほしい。

いまあなたが勉強している分野が何であれ、関連資格が見つかればチャレンジしてみるといいだろう。考えようによってはチャレンジする絶好のチャンスともいえるのだ。

名文を書き写す効用

「大人の勉強」の重要な側面の一つは知性を磨くことであるが、そのために比較的簡単にできる方法の一つが名著を読むことである。そしてそこから一歩進んで、さらにおすすめしたいのが名文を書き写すことである。**読むだけでなく書き写すことで書いた内容が脳に深く焼き付くからだ。**

私は20歳くらいのころから、読書をしていて名文に出合ったらそこに赤線を引いておき、後にそれを大学ノートに書き写すということを習慣にしている。かれこれ40年近くやっているので、大学ノートは何十冊にもなっている。その経験から感じていることは、名著を読むだけでも知性を磨くうえで効果はあるが、自分が感銘を受けた名文を書き写すと、その効果は何倍、何十倍にもなるということである。

名著を読んで感銘を受けても、読んだだけの場合はなかなか体に染み込んだ感覚が持てない。せっかく名文を読んでもその名文が自分の血となり肉となりにくい。数日すれば忘れていることすらある。「論語読みの論語知らず」ということわざがあるが、ただ読むだけで終わらせていれば、頭ではわかっていても実行するまでに至らないことがままある。その点、名文を書き写すと自分の身になるのが実感できる。

こうして私が名文を書き写すことをおすすめしても、共感できない人も多いだろう。そこで私は名文を書き写す副産物についてもお話ししておきたい。

名文を書き写すときに丁寧に書くことを心がけるとペン習字の練習も兼ねることができる。さらに漢字を覚える絶好の機会ともなるし、外国語の名文を書き写せば綴りを覚える絶好の機会となる。

文字を正しく美しく書ける人は、いまや貴重で一目置かれることが多い。絶好のペン習字の練習の機会だと思えば、まさに漢字や綴りを覚える機会にもなり字を丁寧に書く練習にもなるし、文章修行にも役立つ。名文を書き写していけば、自然と文章力も磨かれるのであるから、名文に出合って単に読んだだけで終わらせるのはもったいないのである。

第6章

一生モノの語学力がつく！

【外国語学習法】

日本にいながら効率よく外国語が学べる好機

またもや旅客船を思い浮かべてほしい。われわれにとっての外国語学習とは、旅客船内の「文化・娯楽」の一部となるものといえるだろう。

毎日の食事が日本食ばかり、見る映画も邦画ばかり、聴く音楽も邦楽ばかりでも人生は愉しめる。しかし、ときには海外の食べ物、洋画、洋楽が愉しめるとしたら……。**人生にそんな彩りを与えてくれるのが外国語学習だ。学生時代、英語が不得意だった人でも「大人の勉強」をすれば十分やり直すことが可能だ。**

私は英語以外にフランス語、ドイツ語、スペイン語、イタリア語、中国語を学んでいる。「好きだから」というただそれだけの理由」でのめり込み、続けているにすぎない。お金儲けにつながることではないのでいつでもやめられるし、いつやめても何も困ることはない。しかしそれなのにあえて続けているわけであるから、当然、お金に左右されない個性が磨かれるのである。

私は外国語に興味がない人に外国語学習をおすすめするつもりはない。日本は四方を海に囲まれた島国であり、この地理的条件が変わらない以上、いくら国際化時代が到来したと声高に叫ばれたところで、ほとんどの日本人は外国語などできなくても何不自由なく生きていけるし、世の中には外国語学習以外にも愉しいことやすばらしいことは山ほどあるからだ（というわけで外国語に興味がない人はこの章を飛ばしてほしい）。

しかし現状はといえば、外国語学習に興味がある人はひじょうに多く、ある女性誌のアンケートでは「現在勉強していること」の１位が「英語」、２位が「英語以外の外国語」であった。１位、２位が語学学習というのは目を見張るものがある。

では、なぜ「いまこそ外国語学習」なのか。

最大の理由は外国語が学習しやすい環境が整ったからである。**いまや完全な独学でもリーディングやリスニングに関しては真剣に取り組めば1~2年で英語なら上級レベルに、はじめて学ぶ外国語でも中級レベルに到達可能だし、その域に達しさえすればとてつもなくすばらしい世界が開けてくる。**学習しないことがもったいないくらい状況が整っているのだ（これについては後述する）。

「費やす労力と得られる恩恵との関係」（↓p.１３７）は外国語の習得に関しても同じで

ある。最初のうちは単語にしても文法にしても覚えていくのは困難の連続である。そこに愉しみを見つけるのは、ちょうど野球を愉しみたいと思っている人が素振りやバント練習の中に愉しみを見つけるのと同じくらい難しいことだ。ある程度の実力がつかなければ「読む愉しみ」も「聴く愉しみ」も味わえないのは、いつまでたっても試合に出ることなく素振りやバント練習に明け暮れるのと同じくらい単調で味気のないものだ。

しかし、**ある一点を越えれば、「読む愉しみ」も「聴く愉しみ」も味わえるようになり、それが加速度的にふえる。**野球にたとえていえば、それまで素振りやバント練習ばかりだったものが、試合でプレーする愉しみを味わえるようになるようなものだ。

さらに努力を続ければ、原書がスラスラ読めるようになる、洋画のセリフが字幕なしでわかってくる、ネイティブと会話を自由に交わせるようになるといった、より大きな愉しみが得られるのだ。9回裏に逆転ホームランを打ってチームを勝利に導くことができたときの喜びは、素振りやバントの中に見出せる喜びの何百倍も深いだろう。外国語の名著を原書で読む喜びは、まさに逆転ホームランを打ったときに匹敵する喜びといえる。ひとたびその感動を味わえば外国語学習にはまってしまうのは間違いない。

英語学習の場合、愉しみはそれだけではない。英語は公用語話者世界一を誇る国際語であるから、読める書籍の数、視聴できる動画・映画の数が爆発的にふえる。さらに英語をある程度マスターしたあとで類似する言語（たとえばドイツ語）を学習すれば驚くほど学習しやすくなるといった利点もある。

「いまこそ外国語学習の絶好のチャンス」だと主張する理由はそれだけではない。ＩＴ革命によって外国語が以前とくらべ格段に学習しやすくなった。逆にいえば、**外国語学習につきものの苦労が大幅にへった。**これは30年前には考えられないような変化である。

思い返せば、30年前は外国語学習には恐ろしく労力がかかった。現在ともっとも違うのは電子辞書がなかったことである。しかしいまや英語以外にもフランス語、ドイツ語、イタリア語、スペイン語、中国語、韓国語などの電子辞書が当然のように販売されている。ふつうの辞書で調べるのにもそれなりの時間はかかるが、30年前はふつうの辞書で調べきれない場合は大辞典を引かなければならなかったのだ。

また、辞書に載っていない単語でもインターネットで検索すればたいていは見つかる。

さらに動画配信サービスの登場は画期的で、いまや廉価で自宅で洋画が見放題だし、YouTubeでは多様な語学学習チャンネルが用意されている。利用しない手はない。

外国語がわかるとモノクロの世界が鮮やかに変貌する

外国語が格段に学びやすくなったが、外国語を学ぶ最大の魅力とは何だろうか。評論家の船橋洋一氏はこれに関して次のように述べている。

「母語と違う言語でモノを考えるということは、自分の中にもっとにぎやかな、もっと緊張に満ちた思想のドラマを持ち込むことになります」

また100以上の言語を学んだ作家の井上孝夫氏は次のように述べている。

「世界にもっと直接触れたい、というこの願いを叶える方法はただ一つ、それぞれの国の言語を学び、その国の人々の精神の懐に直接飛び込んで行くことであり、『肉声』を聞くこと以外ではありえない、と私は信じます」

私は彼らの主張はよく理解できるのだが、あなたはどうだっただろうか。ピンと来なかったという人のために、私なりにもっとわかりやすく外国語の魅力を説いてみたい。

外国人との会話が愉しめる、外国旅行が愉しくなるといった、外国人と直接接触することで得られる愉しみが魅力的なのは明白だろう。

しかし外国人と接する機会がほとんどない日本人にとっても、外国語学習は十分魅力的なものになりうる。それは、リーディングとリスニングに魅力を感じた場合に可能となる。実業家の成毛眞氏は「日本の翻訳家のレベルはおしなべて高い。日本語を読み慣れた日本人がわざわざ洋書を読む必要はない」と述べているが、はたして洋書は「わざわざ読む必要がない」ことだろうか。洋書を読んでいて感電するかのような感激を覚えたことのある私からいわせれば、とんでもないの一言に尽きる。

たとえていえば、**洋書を読む魅力とは、白黒だった映画を白黒でもカラーでも好きなほうで見られるようになるようなもの。しかも見られる映画の数も数十倍に膨れ上がるようなものである。**翻訳だとどうしても訳しきれないニュアンスがそげ落ちてしまうので、原書が理解できる人なら原書で読んだほうが感動もひとしおだ。

あなたは、同じ映画を白黒でしか見られないのと、白黒でもカラーでも好きなほうで見られるのとどちらがいいだろうか。この問いに「白黒だけ見られれば十分」と答える人はまずいないだろう。というのもカラーのすばらしさを知った人からすれば、白黒だけでしか見られないことは愉しみが小さすぎるからだ。外国語学習の魅力とはまさにそういうことだ。

原書で読むと脳が冴える！ 知力が増進する

原書を読むメリットを私なりに考えてみると、次の3点に集約できる。

①翻訳では伝わりにくい概念がダイレクトに理解できる

私はこれまでに約30冊の翻訳書を出しているが、その経験からいっても、なかなか日本語に訳しにくい概念があるものである。

しかし、どんなに訳しにくい概念であっても訳書として出版する以上、何とか工夫をして日本語に訳さなければならない。とはいえ、そもそも日本語にない概念をそのニュアンスを損ねないように訳すのは不可能である。白黒映画でいえば、赤も緑も青もどう工夫したところで白黒では表現できないのと同じである。だから四苦八苦した挙げ句、訳注を入れたりして訳文を仕上げざるを得ない。当然、日本語にない概念は外国語のままダイレクトに理解したほうが理解しやすいのはいうまでもない。

②日本語訳されていないものも読める

翻訳されていないすぐれた書物がたくさんあることは想像するに難くないだろう。事実、翻訳されて出版されているのは、ほんのごく一部の本だけである。

しかも出版社の多くは本としてすぐれているかどうかよりも、売れそうな本を率先して出版したがる。すぐれていてかつ売れる本が出版社にとって最も理想的な本といえるが、すぐれていることと売れることは必ずしも一致するものではなく、翻訳されていないすぐれた本は山のようにある。原書が読めるようになれば、そのような埋もれたままになっているすぐれた本も読めるというメリットがある。

実際、私はロンドン大学の遠隔教育を受けているとき、専門書の多くは日本語訳が出ていないことに気づいた。おそらく訳書を出しても採算が合わないから出す出版社もないのだと思うが、心の底から揺さぶられるような感動を与えてくれる本が翻訳されていないのを知り、ひじょうに残念な思いをしたものである。と同時に、逆に英語で専門書が読めるようになったことのありがたさをしみじみとかみしめた。

書籍だけではなく、雑誌や新聞も日本語訳が出ていないものがあるし、ましてやいまや外国語のウェブサイトは無数にある。そのほとんどは日本語訳などないのだから、外国語が読めるようになるメリットは計り知れない。

③ 外国語を読む刺激で知力が増進する

渡部昇一氏は「異質の言語で書かれた内容ある文章の文脈を、誤りなく追うことは極めて高い知力を要する。また逆に、そのような作業を続けることが著しく知力を増進せしめる」と述べているが、これを裏付ける研究結果も複数発表されている。

たとえば、ペンシルベニア州立大学のピン・リー教授の研究によって、外国語学習が学習者の脳内ネットワークを構造的・機能的に強化させ、脳の柔軟性と効率性を上昇させることが判明している。また、生涯研究センター・イタリア語学習を主催するアントネラ・ベコーニ氏は「難しい外国語を学習することにより将来的にアルツハイマー病や認知症など脳機能の後退の病気におかされにくくなる脳になる」と主張するが、それを裏付ける研究結果も出ているという。

日本人が日本語の書物を読むことはそれなりに価値があるが、異質の言語である外国語を通してモノを見るといった知的訓練はできない。外国語で書物を読めば書物が愉しめるだけでなく知的訓練まででき、さらに認知症予防もできるとすれば、外国語学習には実利を超えた魅力があるといえるだろう。

まず「リーディング」と「リスニング」を鍛えよう

英語の技能はリーディング、リスニング、スピーキング、ライティングの4つに大別できる。中でも英語がペラペラになりたいと願う人は多く、ある調査によれば、身につけたい英語力のダントツの1位が「日常英会話」だという。ただ、英語が流暢に話せるようになったとして、それでいったいだれと何を話したいのかが明確でなければ、モチベーションを維持するのは困難だろう。

たとえば、通訳になりたい、留学したい、外資系企業に転職したいなど具体的に英語が話せるようになりたい理由が明確な場合はモチベーションを維持しやすいだろう(それとて簡単なことではないが)。

しかし漠然と「海外旅行したときに流暢にしゃべりたい」とか「英語が話せるとかっこいい」と思って英会話の練習をはじめても、モチベーションが維持できなければ長続きしないだろう。実際、私はこれまでひじょうに多くの英語学習者を観察してきたが、英語がペラペラになることを目標として掲げていた人はほぼ全員が途中で投げ出している。

それもそのはずで、そもそも外国人と話す機会も海外旅行に行く機会も滅多にないのだから、いずれモチベーションが下がるのは自然なのだ。私は都心に住んでいるが、それでも日常生活で英語を話す機会など年に一度もないくらいである。しかもそれは道を尋ねられる程度のことで、時間にして1分程度の簡単な会話である。都心でさえこんな状態なのだから、外国人の少ない地域では英語を話す機会はさらに少ないだろう。

ペラペラに話せるようになるためのモチベーションを維持する方法がないわけではない。英会話サークルに入る、英会話学校に通う、スピーチコンテストに参加する、ボランティア通訳をする、外国人の友人や恋人を作るなどだ。しかも英会話力を身につけることは愉しいことでもある。だからモチベーションが続くのであればどんどん英会話力を磨くといい。

だが、ペラペラに話せるようになること以上にモチベーション維持がしやすく、愉しめ、しかも自分自身の成長にもつながる方法論がある。それを私は「受信能力強化論」と名付け、提唱したい。これはつまり、「受信能力」(リーディングとリスニング)を強化することを主眼とする。私がこれを提唱する理由は**リーディングとリスニングの能力は独学で磨くこ**

とが可能なこと、そして磨けば磨くほど愉しめる機会がふえることである。

考えてみると現在ほどその恩恵にあずかれる時代はない。実際、インターネットを利用すれば、海外から原書を簡単に取り寄せることもできるし、海外の映画や動画も見放題である。しかも教養を磨けるような質の高いものも視聴できる。愉しみが無限に広がるのだ。

では、なぜ「受信能力強化論」ではモチベーションが続くのか。それは**リーディングやリスニングの愉しみを知れば知るほど受けられる恩恵も大きくなり、他人に依存しないで一人で愉しむことができるからである。**

リーディングに関していえば、英語で書かれた書籍は日本語で書かれた書籍の何十倍もある。インターネット上の情報もその大半は英語で書かれたものである。したがって英語が読めるようになれば読める文章の量が爆発的にふえる。日本人が日本語で書いたものしか読めなかった人も、英語が読めるようになれば、アメリカ、イギリス、オーストラリア、ニュージーランドなどなど、英語圏の作者が書いたものが読める。

リスニングに関していえば、リーディングより大きな恩恵にあずかれる。私はNetflixを利用しているが、インターネットを活用すれば海外の映画・動画は月990円で見放題である（2021年冬現在）。

「英語ができる」とはどういうことか

日本人は謙虚な国民なので、中学高校と6年間も（大学を出た人なら10年間も）英語を学んでいるのに、「英語ができますか？」と訊かれると、ほとんどの人が「できない」または「少しだけ」と答えるという。しかしそもそも「英語が使える」とはどういうことであろうか。４つの技能すべてを習得していなければ「英語が使える」といえないのだろうか。

この点に関し、私は**４技能のうち１～３つの技能を習得していれば、「英語が使える」といってもいいと考えており、実際、「（リーディングに関して）英語が使える」日本人は多くいる**と思っている。英語といえば、とかく話せることが重視されやすいが、話せなければ「英語が使える」といえないというのは甚だしい短見といえよう。

私がこう考える理由を説明しよう。私がロンドン大学哲学部在学中、求められたのはリーディングとライティングの能力だけで、スピーキングもリスニングも一切求められなかった。つまり、スピーキングやリスニングが堪能でなくてもロンドン大学の学位を取得しうるのであり、学位を取得することができればそれはそれで立派に「(リーディングとライティングに関して)英語が使える」といえるし、これに異論を挟む人などいないだろう(ただし入学時にIELTSなどのスコアの提出が義務づけられるのでスピーキングの技能がまったく必要ではないということではない)。

また、ビジネスパーソンが英語を使うにしても、とくに近年ではメールのやりとりでも事足りることも多く、スピーキングの技能まで求められる人は限定されるであろう。仮にメールのやりとりだけでビジネスを遂行できる職場であれば、それはそれで「(リーディングとライティングに関して)英語が使える」といっていいわけである。

結論として、1技能ないし3技能を習得していれば、たとえば「(リーディングに関して)英語が使える」とか「(リーディングとライティングに関して)英語が使える」、「(リーディング、ライティング、リスニングに関して)英語が使える」などといっていいように思う。日ごろ外国人と接する機会の少ない日本人がスピーキングが苦手なのは自然なことだし、スピーキング技能が必要のない人のほうが圧倒的に多いのであるから、4技能のすべてを習得する必要はない。自分軸で自分に必要な技能を磨けばいいのだ。

愉しくて即効性のある学び方

英語学習を「愉しいか苦痛か」「即効性があるかどうか」の基準で大まかに分類してみると、４つの領域に分けることができる。

Aは「愉しいが即効性はない」という領域で、この場合、すぐに実力向上に結び付くことはない。片言の英語レベルにとどまるが、愉しく学んでいる限り、やめる必要はない。

Bは「愉しくて即効性がある」領域で、これを続けると英語が好きになり、実力もついていくだろう。なお、「写英」は私が編み出した方法で、英語の本の感銘を受けた一文をノートに書き写すというシンプルな方法だ。

Cは「苦痛でかつ即効性がない」という領域で、苦痛であるばかりか実力がつくこともないため、単独ではおすすめできない方法だ。

Dは「苦痛だが即効性がある」という領域で、多くの日本人が受験や各種の英語の検定試験のために行う勉強法だ。もともと興味があって学習してきたわけではないので、スコ

●英語学習のマトリックス

A領域

［愉しいが即効性はない］

・ネイティブの友人とのフリートーク
・映画館やDVDで洋画を見る
・海外旅行
・英会話カフェでのフリートーク
・日本人だけの英会話サークル
・英語の雑学的な書籍を読む
・英語の歌を聴く

B領域

［愉しくて即効性がある］

・ネイティブとのマンツーマンレッスン
・シャドーイング（音声を聴いたあと即座に復唱すること）
・写英（英文を書き写すこと）
・興味のある英文雑誌・書籍を読む
・興味のある内容の英語のCDを聴く
・英語の百科事典で語彙力を上げる

C領域

［苦痛でかつ即効性がない］

・（語学力アップ目的で）英文日記をつける
・（語学力アップ目的で）外国人と文通する

D領域

［苦痛だが即効性がある］

・単語カードで語彙力を上げる
・英語学習用CDを聴く
・英字新聞をくまなく読む
・受験用問題集を解く
・英語の通信教育を受ける
・各種英検の受験対策校に通う
・英語学習参考書を読む

B領域を主体に、ときどきA領域を取り入れて愉しく続け、D領域を組み合わせながら効率よく実力を向上させる学習法がおすすめアアップや検定合格という目標を達成すると学習をやめてしまうケースが多い。

英語学習が愉しいと思えない人は、C領域やD領域でしか英語と接してきていない人で、これを続けていても苦痛なばかりで英語学習が愉しくなることはないだろう。

私がおすすめするのはB領域の学習法だが、実力をつけるにはD領域を併用するのが理想的だ。D領域はあまり愉しくない分、強い意志が必要で、ときには気分転換としてA領域を取り入れるなど工夫すると継続しやすいだろう。

結論として、**B領域を主体に、ときどき愉しむためにA領域を取り入れ、実力を効率よく向上させるためにD領域を組み合わせながら学習するのがおすすめだ。**

世界最高峰の大学の遠隔教育を受講してみよう

大規模オンライン公開講座、MOOC《ムーク》は、世界最高峰の大学がオンライン学習講座を提供するプラットフォームで、世界の一流大学の講義が無料で受講できるウェブサービスだ。２０１２年にはじまり、世界中の約９５０の大学の16万以上の講義が配信されている。

Coursera《コーセラ》はMOOCの一つで、スタンフォード大学の教授が設立したサービスだ。１講座約10分程度で視聴でき、約４〜６週間で修了も可能だ。無料で視聴できるコースもたくさんあり（実際、私自身も無料でエディンバラ大学、バージニア大学、カリフォルニア大学、エモリー大学などの名門大学のコースを修了した）、費用はかかるが大学の学位を取得できるコースもある。Googleで「coursera」と入力して検索しても出てくるが、次のＵＲＬからもアクセスできる。https://ja.coursera.org/

内容は**ビジネス、コンピュータサイエンス、言語、物理学、心理学、哲学、建築学など多岐にわたり、さまざまな学問分野の講義を英語・フランス語・ドイツ語など世界のいろ**

いろな言語で視聴できる。愉しみが無限に広がるだけでなく自分自身を高めることもできる。外国語のリーディング技能やリスニング技能を磨けば、その恩恵は計り知れない。私が「受信能力強化論」を提唱したい理由はまさにここにあるのである。

また、日本にいながらにして腰を据えて英語力を高めたい人にぴったりなのが、英語圏の大学の遠隔教育だ。とくにおすすめしたいのが、目標としていた各種の英語の検定試験にすでに合格してしまってモチベーションが低下している人や行き詰まっている人たちだ。**英語を通して専門科目を学べば専門知識が身につくだけでなく、副産物として英語力が維持でき、向上する効果も得られるのだ。**

英語圏の大学の遠隔教育というとハードルが高そうに聞こえるが、私が修了したロンドン大学の遠隔教育はほかの遠隔教育とくらべると移動や費用の負担がとても少なく、チャレンジしやすい。ロンドン大学は、入学審査時から卒業まで、すべて日本国内だけで履修可能な学部が多くある。

また、大半の科目が年一回の最終試験のみで評価されるため、年間を通じて自由に勉強時間を設定できる。授業もレポートもなく、時間が拘束されるのは最終試験の試験時間帯のみ。さらに、学費が比較的安価で、履修科目数にもよるが年間トータルで10万~20万円程度ですむのも利点だ(テキスト代や参考書代は除く)。学部なら最短で3年で卒業可能、最短1~2年で修了できる課程がある学部もあり、1年で修了する課程でも修了証書(certificateまたはdiploma)を出してもらえるので、修了した暁にはそれなりの達成感も味わえる。年間履修科目は自由に設定でき、1科目から受講可能とフレキシブルなのもありがたい。1科目だけの受講でも正規学生扱いとなるため、単位を積み重ねていけば卒業(または修了)も可能だ。

ロンドン大学の遠隔教育の最大のメリットは、何といっても専門知識が身につくことだ。

カリキュラムに沿った学習だから効率よく知識が深められる。

また、遠隔教育の場合、英語のスキルそのものよりも専門知識が問われるため、教材を精読して専門知識を頭に叩き込む必要があり、いやが上にも精読力が鍛えられる。加えて読むべき本や読みたい本が次々と見つかるので知的好奇心を思う存分深めることができる。

そして、晴れてを卒業すると、ロンドン大学という権威ある大学の卒業証書を手にすることができる。卒業までやり抜いたという大きな自信にもなり、その後の勉強のレベルアップのための実力の証明ともなり、得られるものは計り知れない。

◎ロンドン大学公式サイト　URL:https://london.ac.uk

TOEICで鍛えた「受信能力」をさらに発展させよう

図書館や喫茶店で必死にTOEICの問題集に取り組んでいるサラリーマンを見かけることがある。企業の昇進試験ではTOEICが全盛のようだ。TOEIC攻略法の記事を頻繁にアップする語学ブロガーも多数いるが、点数を上げることだけが彼らの最大の関心事のようである。

TOEICはリーディング技能とリスニング技能に特化した試験なので、勉強の成果である英語読解力を駆使して名著と呼ばれる原書に触れることでさらに英語力が磨かれるはずなのに、彼らは合格したら、あるいは目標のスコアを達成したら、さっさと勉強をやめてしまいかねない。なぜなら試験合格やスコアアップだけが目的だとしたら、もうそれ以上勉強を続ける意味がないからだ。

逆に、何度挑戦しても目標スコアに達しないとなるとそこでピタッと勉強を止めてしまう人も大勢見てきた。彼らは目標が達成できないと悟るやいなや燃え尽きてしまうのだ。

しかし、スコアアップのための勉強は野球でいうと準備練習にすぎず、試合でプレーする実践ではない。よくて練習試合だ。しかし野球の醍醐味は試合でプレーすることであるように、やはり外国語学習の究極の目的は生の外国語に触れることだと思う。そして**日本人にとって外国語に触れる最も容易な方法は原書を読むことだろう。**

名著と呼ばれる本の原書、外国語独得の面白い原書、子どものころに訳本を読んで感銘を受けた本の原書、そうした本の原書をその言語で読む。これは日本人が日本語で書かれたものだけを読むことよりも、何倍も何十倍も人生を豊かにしてくれるものだ。**原書をずっと読み続けるようになるか否かはそこに愉しみを見出せるか否かにかかっている。**

「大人の勉強」はそもそも人生を豊かに生きるための基盤作りである。そこで、原書を読む究極の目標として原書を生涯読み続けることと据えてもいいように思う。

心を揺さぶられる名著を原書で読み、それを自分の人生の糧とする。それこそ、外国語を学ぶ「Big Why（一体なぜそれをするのか）」ではないだろうか。

ちなみに、CEFR《セファール》（ヨーロッパ言語共通参照枠）とは、ヨーロッパ全体で外国語の学習者の習得状況を示す際に用いられるガイドラインのことである。B1レベルまで行けば、読める原書の数もふえてくるので、B1レベル以上を目指そう。

●外国語学習者の習得状況ガイドライン「CEFR」

熟練レベル	C2	聞いたり読んだりしたほぼすべてのものを容易に理解することができる。いろいろな話し言葉や書き言葉から得た情報をまとめ、根拠も論点も一貫した方法で再構築することができる。自然に流暢かつ正確に自己表現ができる。
	C1	いろいろな種類の高度な内容のかなり長い文章を理解して含まれる意味を把握できる。言葉を探しているという印象を与えずに、自然に流暢に自己表現ができる。社会生活を営むためや、学問上や職業上の目的で、言葉を柔軟かつ効果的に用いることができる。複雑な話題について明確で、しっかりとした構成の詳細な文章を作成することができる。
自立レベル	B2	自分の専門分野の技術的な議論も含めて、抽象的な話題でも具体的な話題でも、複雑な文章の主要な内容を理解できる。ネイティブスピーカーとはお互いに緊張しないでふつうにやりとりができるくらい流暢かつ自然である。幅広い話題について明確で詳細な文章を作成することができる。
	B1	仕事、学校、娯楽などでふだん出合うような身近な話題について、標準的な話し方であれば主要な点を理解できる。その言葉が話されている地域にいるときに起こり得るたいていの事態に対処することができる。身近な話題や個人的に関心のある話題について、筋の通った簡単な文章を作成することができる。
基礎レベル	A2	ごく基本的な個人情報や家族情報、買い物、地元の地理、仕事など、直接的関係がある領域に関しては、文やよく使われる表現が理解できる。簡単で日常的な範囲なら、身近で日常の事柄について、単純で直接的な情報交換に応じることができる。
	A1	具体的な欲求を満足させるための、よく使われる日常的表現と基本的ないい回しは理解し、用いることができる。自分や他人を紹介することができ、住んでいるところやだれと知り合いであるか、持ち物などの個人的情報について質問をしたり、答えたりすることができる。もし相手がゆっくりはっきりと話して助けが得られるならば、簡単なやりとりをすることができる。

B1レベルまで行くと外国語でのコミュニケーションも無理なくこなせ、読める原書の数も格段にふえる

多忙な社会人の検定試験の目指し方

社会人、とくに中高年にもなると何をするにもそれなりに時間的制約がかかるが、多忙でも検定試験合格は可能だ。目指すべき検定試験の種類や目指し方について触れてみたい。

検定試験を受験するとなると、多くの人は出題傾向を調べたり、過去問題集をやったりして、「合格する（またはハイスコアを取る）こと」を目的とした〝ガリ勉〟をするだろう。

しかし検定試験の出題傾向に自分を合わせて〝ガリ勉〟をするのではなく、自分が強化したいと思っている英語能力の向上に役立つ検定試験を探して受けることをおすすめしたい。つまり、**「合格する（またはハイスコアを取る）こと」を主眼として勉強するのではなく、自分の英語力向上のモチベーションとして検定試験受験を活用するのである。**これこそが「大人の勉強」の真骨頂である。

たとえば、名著を原書で読めるようになったり、洋画を字幕なしで視聴できるようになったりしたい場合、リーディングとリスニングの問題しか出題されないTOEICがおすすめだ。英会話に興味がないのに、わざわざスピーキングが課される試験を受験することはない。

スコアアップ〝そのもの〟を目的としなくても、原書を読んだり洋画を見たりして愉しみながら英語学習を続け、その結果としてスコアがアップすればそれなりに達成感も味わえるし、必然的に受信能力であるリーディング力やリスニング力も向上する。仮にスコアが思い通りにアップしなくても、そもそもスコアアップが第一の目的ではないのであるから、多忙な現代人はそれでもいいといえる。スコアが上がっただの下がっただのという細かいことに振り回される必要はない。

多忙で受験会場まで行くのすら難しい人には、TOEIC の代わりに CASEC を受けるという手もある。同検定は自宅で、短時間で受験できる。しかも受験料が手頃である。さらに TOEIC に換算した場合、何点になるかの目安までわかる。

英会話に自信がある人の中には「TOEIC や CASEC で高得点を取ってもしゃべれなかったら意味がない」などという人がいるが、他人軸で考える必要はない。たとえば、原書がスラスラ読めるようになれればそれでいいと思っているのなら、しゃべれなくて大いに結構。英語が話せないことで見下されるいわれはないのだ。

逆に、英会話には興味があるが、難解な本を読んだり翻訳したりということにはそれほど興味はないという場合には、英会話のみに特化した試験を受けることをおすすめしたい。私は受験したことがないが、インターネットで探せばそのような検定もたくさんある。たとえば、英会話検定、VERSANTスピーキングテスト、E-CAT、TSST（アルク）、InstaBiz Speaking Test、PROGOS（レアジョブ英会話）、CHIVOX AIスピーキングテスト（ネイティブキャンプ）、weblioスピーキングテストなどが見つかった。これらの中から自分の好みに合った検定にチャレンジするといいだろう。

あるいは、**ネイティブと渡り合えるオールラウンドな英語力を身につけたいという場合には、ケンブリッジ英検、オックスフォード英検、IELTSといった4技能の分野から出題される英語の本場で作成された検定試験がおすすめだ。**それぞれかなり長時間にわたる試験で骨が折れるが、ネイティブが採点してくれるので日本で作成された各種検定試験とは異なる評価軸で自分の英語力を客観視できる。

かくいう私は語学関係の試験に関していえば、過去問題集は一切やらずに受験している。というのも私にとっては「合格すること（またはハイスコアを取ること）そのもの」はそれほど重要な目標ではないからである。名著が読めるようになったり洋画を鑑賞できるようになったりできればいいと思っている私にとっての〝学習教材〟は、原書であり洋画であり英文雑誌なのだ。ただ、**一見遠回りに見えるこのような自分軸での検定試験受験も、自分自身が愉しんで勉強している分、長続きしやすいし、長続きできればそれだけ真の実力が培われていく。**これこそまさに「急がば回れ」の典型例といえよう。

結局、英語学習の目的や終点をどこに設定するかが重要だ。英語の原書を読めるようになりたいのか、英会話がうまくなりたいのか、オールラウンドな英語力を身につけたいのか、翻訳がうまくなりたいのか、それを見極め、他人軸ではなく自分軸で英語学習のモチベーションになると思える検定試験を探してみよう。こと英語に関しては、検定試験が多様化・細分化しているので、目指すべき検定試験が見つかる可能性は高いように思う。ぜひ探してみてほしい。自分にぴったりの検定試験が見つかれば、それが英語学習のスパイスになってくれるだろう。

英語だけか、英語以外もやるか。「中国語のすすめ」

「英語だけにしておくか、英語以外もやるか」というのは悩ましい問題である。

ただ、私から見れば、**せっかく英語を学習したのであれば、もう1言語や2言語やってみるのも悪くない、というより、やらないほうがもったいないといえる。**なぜなら、**どんな言語を学ぶにせよ、ゼロから英語を学ぶ労力とくらべればはるかに少ない労力で習得できる**からである。

私の実感でいえば、英語の「兄弟」ともいえるドイツ語の場合は、ゼロから英語を学ぶ労力の5分の1ですむ。また英語の「いとこ」ともいえるフランス語やスペイン語、イタリア語の場合は、3分の1の労力ですむ。さらに、英語とフランス語を学んだあとにフランス語の「兄弟」ともいえるスペイン語やイタリア語を学ぶとすれば、英語の知識もフランス語の知識も生かせるのでフランス語を学ぶときの5分の1、つまり英語を学んだときの15分の1の労力ですむ(この「〇分の1」という数字は英語の習熟度によっても変わってくるだろうが、ゼロから英語を学んだときの労力よりはるかに少ない労力ですむことは実感していることである)。

中国語は英語とは言語体系が異なるので英語の知識は生かせないが、漢字の知識が生かせる。日本人なら小・中・高校で何百回もの漢字のテストを受けてきたはずだ。しかもその後も日本で生活し新聞や雑誌、書籍を読み続けている以上、漢字の知識は十分にある。この**漢字の知識はバカにならない。その知識が中国語を学習するときにフルに使えるので、中国語を勉強しないほうがもったいないといえる。**

考えてもみてほしい。日本語の「猫」は中国語でも「猫」である。日ごろ「gato(スペイン語で「猫」という意味)」だと認識している動物を「猫」と書かなければならないスペイン人からくらべれば、日本人は圧倒的なアドバンテージがあることがわかる。また日本語の「パンダ」は中国語では「熊猫」だが、日本人なら「熊のような猫」と覚えれば一瞬で覚えられる。一方、非漢字圏の人には一瞬で「熊猫」の意味を覚えるといった芸当はまず不可能だ。このアドバンテージを利用しないのはあまりにももったいない。日本人なら英語の次に中国語をはじめてみるのもいいだろう。

適切な教材と検定試験がある外国語にチャレンジ

ほとんどの日本人は高校までで6年以上英語を学習する。さらに大学に進学した人は第二外国語（大学によっては第三外国語も）を学習する。それを前提に英語以外の言語を学ぶとしたら何語を学ぶのがいいかを考えてみよう。

もちろんこれは最終的にその言語を習得して何をしたいのかによって変わってくる。たとえば、習得後にその知識やスキルを年収アップなどの手段としたいと思っている人とそうでない人とでは、選ぶ言語が異なる（たとえば、通訳になりたい人なら通訳の仕事の需要がありそうな言語を選ぶのがよく、翻訳家になりたい人なら翻訳の仕事の需要がありそうな言語を選ぶのがよいといった具合である）。

また、その言語が話されている国に対する興味の度合いによっても異なる。したがって、どの言語を学ぶべきだというだれにでも共通する一つの正解があるわけではない。

ここでは**外国人と接する機会がほとんどない日本人が独学で「読む愉しみ・聴く愉しみ」**

を味わえるようになるという前提で考えてみよう。

独学で「読む愉しみ・聴く愉しみ」が味わえるようになる最低条件として、私は次の4つを挙げたい。逆にいえば、この4つの条件をクリアしていなければ、「読む愉しみ・聴く愉しみ」に到達するのは極めて困難だと考えている。

① 入門書(文法書も含む)が入手できること

これが一番重要である。どの言語でもいきなり本が読めるはずはないから、入門書はどうしても必要である。何十冊もそろえる必要はないが、数冊は入手したほうがいいだろう。フランス語、ドイツ語、イタリア語、スペイン語、中国語、韓国語といったメジャーな言語であれば容易に入手できるが、マイナーな言語になると入手できないものもあろう。マイナーな言語を学んでみたいという人は、まずは入門書が入手できるかどうか確かめてみよう。日本語で書かれている入門書があればそれが理想的だが、仮にない場合でも、英語が読めるという人なら英語で書かれた入門書(たとえば『Teach Yourself』のシリーズ)を使うという手もある。

② その言語が話されている国から出版されている音源付きの書籍を入手できること

入門書だけで学習してそれで満足する人などほとんどいないだろう。入門書に取り組むのは、野球でいえばピッチングマシンから投げられる球でバッティング練習をするようなものである。ピッチングマシンから投げられる球が生きていない球であるのと同じように、入門書の文は人工的なものがほとんどである。そこに「読む愉しみ・聴く愉しみ」を見出そうとしても無理がある。野球の醍醐味はバッティング練習ではなく、試合をすることで味わえるのと同じで、外国語学習の醍醐味も「バッティング練習（入門書を用いての学習）」ではなく、「試合（その言語を意思伝達のために使うこと）」にある。

ただ、ほとんどの日本人にとっては英語以外の言語に接する機会はあまりないので、「試合」をするにはその言語が話されている国から出版されている書物を読むのが一番である。フランス語の場合はフランスの出版社から出ている書物、ドイツ語の場合はドイツの出版社から出ている書物、という具合だ。

私の場合、それに音源（ＣＤまたはＭＰ３）付きの書籍があることを条件としている。なぜなら私は音源の助けを借りなければなかなか読書が進まないからである。

テキストだけでは読み続けにくくても音源の助けがあればなんとか食らいついていけるし、読むのに疲れたときはベッドに横たわって聴くことに専念するという学習も可能となる。また、音源の付いている書籍であれば、リスニング力も同時に磨けるのも魅力である。

音源付きの書籍が何らかの方法で入手できるかどうかを確認してみよう。これらを扱っている書店があるのがベストだが、仮になくてもインターネット経由で入手できるかどうかも確認してみよう。

③日本で受けられる検定試験があること

「読む愉しみ・聴く愉しみ」が味わえるようになるには、少なくとも中級レベルまでは到達すべきだというのが私の考えである。

というのも、初級レベルでは「聴く愉しみ」が味わえるほどのリスニング力はついていないし、初級レベルの本で「読む愉しみ」を味わえるにしても初級レベルの本自体が少ないからだ。ところが中級レベルに到達すれば、読める本の数はぐんとふえるし、「聴く愉しみ」も徐々に味わえるようになる。初級レベルで終わらせるのはとてももったいない。

私には中級レベルまで到達するには検定試験の存在が絶対に必要だった。なぜなら、フランス語、ドイツ語、イタリア語、スペイン語、中国語のいずれも、やってもやらなくても生きていくうえで何の不都合も生じない。そんな**「やってもやらなくてもいい」ことを独学で続けるにはモチベーションが必要だったわけだが、その最も大きなモチベーションになってくれたのが検定試験だった。**

ちなみに本稿執筆時点で英語、フランス語、ドイツ語、イタリア語、スペイン語、中国語、韓国語、ロシア語は日本で受けられる検定試験がある(↓p.196)。

④ 電子辞書が存在すること

便利な時代になったもので、いまや英語以外の外国語も電子辞書がある。私の場合、電子辞書が入手できるか否かも学習する言語を決める条件に入っていた。なぜなら、語尾変化が複雑なヨーロッパの言語を紙の辞書で引くとなると、おそろしく時間と労力がかかるので途中で投げ出すのが目に見えていたからである。

以上、新たに学ぶ外国語を選ぶときの私の条件を4つ挙げたが、これらの4つのすべての条件がそろうのは、現在の日本では、フランス語、ドイツ語、イタリア語、スペイン語、中国語、韓国語、ロシア語くらいだろう。

ただし、4つの条件はあくまでも私にとってのものである。であるから、たとえば電子辞書がなくてもかまわないという人であれば④の条件は外して考えてもいいことになる。重要なことは自分で新たに学ぶ言語の条件を考えてみることである。

日本で受けられる英語以外の外国語の検定試験

フランス語

・実用フランス語技能検定試験（フランス語教育振興協会）
・DELF DALF（フランス語）（日本フランス語試験管理センター）
・TCF（およびTCF SO）（日本フランス語試験管理センター）

ドイツ語

・ドイツ語技能検定試験（ドイツ語学文学振興会）
・ゲーテ・ドイツ語検定試験（ゲーテ・インスティトゥート）
・オーストリア政府公認ドイツ語能力検定試験（ÖSD）

スペイン語

・スペイン語技能検定（日本スペイン協会）
・DELE（インスティトゥト・セルバンテス）

中国語

・中国語検定試験（日本中国語検定協会）
・HSK（HSK日本実施委員会）

韓国語

・韓国語能力試験（韓国教育財団）
・ハングル能力検定試験（ハングル能力検定協会）

ロシア語

・ロシア語能力検定試験（ロシア語能力検定委員会）

イタリア語

・実用イタリア語検定試験（イタリア語検定協会）

タイ語

・実用タイ語検定試験（日本タイ語検定協会）

インドネシア語

・インドネシア語技能検定試験（日本インドネシア語検定協会）

ベトナム語

・実用ベトナム語技能検定試験（日本東南アジア言語普及交流協会）
・国際ベトナム語能力試験（VTS）

ミャンマー語

・ミャンマー語検定（MLT〈Myanmar Language Test〉）

ポルトガル語

・国際ポルトガル語検定試験（京都ポルトガル語検定センター）

エスペラント語

・エスペラント学力検定試験（日本エスペラント協会）

究極の語彙力の鍛え方

私は、語学学習の中では単語力強化にとてもこだわっている。**外国語能力（とくに読解力）と語彙力には高い相関関係があることが実証されており、語彙力を伸ばせば外国語能力も飛躍的に伸びる可能性が高いといえる。**

単語は理屈抜きに覚えるしかなく、日本にいながらネイティブの読解力に近づこうと思ったらただひたすら知らない単語をしらみつぶしに覚えていく努力をするしかない。

ロンドン大学の遠隔教育を受けたとき、課題図書に難易度の高い英単語が頻出しているのに気づき、ネイティブの若い学生たちがこんな難解なテキストを読んでいることに度肝を抜かれた。英検1級に合格したことで満足し、語彙力強化を怠ってしまったら、大学の指定図書さえ十分に読めないことを思い知ったのだ。そしてこのとき私は「一生語彙力を磨き続ける」と強く心に決めた。ネイティブ並みの語彙力をつけるには、それほどの鍛錬が欠かせないのだ。

その後、早速ボキャブラリー増強に取り組んだわけだが、英語をはじめ、ドイツ語、スペイン語、フランス語、イタリア語、中国語の6つの言語を勉強する過程でボキャブラリー増強の秘訣を見出した。それをここで紹介したい。

① 何といってもくり返しが重要

語彙をしっかりと頭に定着させるために「覚える」「忘れる」「覚える」「忘れる」というサイクルを何度もくり返そう。しつこくしつこくくり返すのがポイントだ。そうすればだんだん定着してくる。私はそのために単語カードを使用している。単語カードを作成するのは時間がかかるので面倒だと思う人もいるかもしれないが、作成するには実際に手書きすることになるので、それ自体が単語を覚えるために役立っている

さらに、一度単語カードを作っておけば、忘れたころに何度でもくり返して覚え直すことができる。5分、10分の細切れの時間も、積み重ねれば大きな時間となる。その細切れの時間で覚えるのに適しているのも単語カードなのだ。いつも胸のポケットに単語カードを忍ばせておいて持ち歩き、細切れの時間ができたらすぐに取り出して覚えている。

私は40歳を過ぎてからドイツ語を再開、50歳近くなってからゼロからフランス語、イタリア語、スペイン語、中国語の勉強を開始したが、この5言語ですでに850束の単語カー

著者が作成した単語カード約850束の一部。
言語ごとにケースを別々にして保管している。

ドを作成し、記憶してきた。細切れの時間を使って覚えれば、1年に100束程度の新しい単語を覚えることも不可能ではない。

② 名詞から覚える（英語以外の言語をゼロから学びはじめる場合）

いくつもある品詞の中でもっとも覚えやすいのが名詞といわれている。新しい言語をゼロから覚える場合、まずはもっとも覚えやすい名詞から入るのが近道だ。

③ 同じカテゴリーの語彙を一気に覚える

私たちが語彙を覚える際、意味の近い語彙であればあるほど、脳の中の記憶される場所も近いといわれている。中でも、同じカテゴリーの語彙はお互い結びつきが強いので、一度に覚えると覚えやすい。

たとえば、「塩」「砂糖」「コショウ」「酢」「小麦粉」「クリーム」「チーズ」「バター」「はちみつ」「にんにく」……というように料理に関して「同じカテゴリー」の語彙は、それぞれ脳の中に蓄積される場所が近いので、別々に覚えるよりも一気に覚えるようにすれば、それだけ早く覚えられる。しかもに、一気に覚えたほうが忘れにくい。

この方法を実践するならこれに合った単語集があるので、そういった単語集を活用するといい。「重要度別の単語集」や「試験に出る順の単語集」も、それなりに使いやすいが、覚えやすさの点からいえば、意味的に同じカテゴリーの語彙をまとめて一度に覚えたほうが速く覚えられる。

なお、同じカテゴリーが一気に覚えられる単語集として、以下のものをおすすめしたい。『いっそイラスト チャイナ単語帳』『いっそイラスト フランス語単語帳』『いっそイラスト スペイン語単語帳』『いっそイラスト イタリア語単語帳』（以上、小学館刊）『暮らしのフランス語単語8000』『暮らしのスペイン語単語8000』『暮らしの中国語単語10000』（以上、語研刊）『ドイツ語分類単語集 新書』『イタリア語分類単語集 新書』（以上、大学書林刊）

④ 文章に出てきた未知の語彙を目と耳で覚える

目だけで覚えるより、目と耳で覚えるほうが何倍も記憶に残りやすい。最近は音源付きの参考書も多いので、未知の語彙があれば、目と耳を使って覚えよう。

⑤ 文章に出てきた未知の語彙に関連する語彙を一気に覚える

③の「同じカテゴリーの語彙を一気に覚える」と同じで、関連が強い語彙であればあるほど覚えやすい。

たとえば、フランス語の文中に ménage いう単語が出てきたとする。これを辞書で調べると「家事」という意味であることがわかるが、それだけ覚えて終わりにするのはもったいない。

s'occuper du ménage（家事に従事する）、faire des ménages（家政婦として働く）、feme de ménage（家政婦）、ustensiles de ménage（掃除道具）、jeune ménage（若夫婦）、faux ménage（事実婚の夫婦）、ménage a trois（三角関係）、petit ménage（男性どうしのカップル）など、ménage に関連する語彙を一気に覚えてしまおう。意味がまったく違う語彙を一度に覚えるよりはるかに容易に覚えられるのだから、これをやらない手はない。

⑥どうしても覚えられないものはひたすら書いて覚える

単語カードで暗記する方法だと、中には「どうしても覚えられない」という単語が出てくる。そんな単語は紙に何度も書いて覚えている。何度も何度も書く。書いて書いて書きまくる。すると不思議なことにきちんと頭に定着するのだ。どうしても覚えられないものは、ひたすら書いて覚えよう。

外国語学習の続け方

語学学習のモチベーションは大きく2つに分類できる。一つは「インストルメンタル・モチベーション」（道具的動機）、もう一つが「インテグラティブ・モチベーション」（統合的動機）だ。前者は試験合格や就職や昇進に役立てたいとする外的報酬を得るための手段になっているときのモチベーションで、後者は語学を学ぶことが「よりよい生活を送りたい」「地域社会に溶け込みたい」などの手段になっているときのモチベーションだ。日本という島国で生活している多くの日本人にとって、外国語は生活上必須のものではなく、それゆえインテグラティブ・モチベーションを持つことはほとんどないだろう。

しかし、**インテグラティブ・モチベーションが希薄な人でも、各種検定試験を目標にすることでインストルメンタル・モチベーションを持つことは可能だ。**

最初は試験合格が目的というきっかけであっても、外国語学習をスタートさせることで最終的に語学力が高まれば、いままでとは異なる新たな世界が開けてくるだろう。

第7章

学び続けることで自分を磨く

【精神的ニーズの満たし方】

人生行路の「最終目的地」を決める

最後にもう一度、旅客船を思い浮かべてほしい。「船体」が正常かつ「燃料」も十分、「交通ルール」も熟知し、「旅客船内の人間関係」も円満、しかも「高性能」の旅客船であるとする。しかし出航しなかったとしたら船旅は愉しめない。出航しないとしたら、いったい何のためにその旅客船は存在するのだろうか。

私たちにとっての「精神的ニーズ」とは、旅客船にとっての「最終目的地」といってもいい。旅客船は「最終目的地」を目指して出航してはじめて、その本分を発揮できるのと同じように、私たちも「精神的ニーズ」を満たしてこそ生きがいのある人生を歩むことができる。この章ではそんな「精神的ニーズ」の満たし方を探ってみよう。

前章まで「大人の勉強」と肉体的ニーズ、社会・情緒的ニーズ、知的ニーズとの関係を見てきた。しかしこれら3つのニーズがすべて満たされても、心から幸福で生きがいのある人生を送っているという感覚は得られないだろう。なぜなら精神的ニーズが満たされていないからである。

生きがいのある人生を歩むには、生きがいが感じられる「情熱を捧げられる夢」が必要だ。それは旅客船にとっての「最終目的地」のようなものだ。「最終目的地」が決まっていないのに出航してしまうと、どこに行き着くかわからないのと同様、出航するには「最終目的地」をしっかり決めなければならない。

スティーブン・R・コヴィー博士は「心の内なる炎」について次のように述べている。

「心の内なる炎」は、「貢献したい」という精神的なニーズがなければ発生しない。それは、ほかのニーズを、貢献する(何かに役立てる)ための要素に変えてしまうもので、食べ物、お金、健康、教育、愛情といったものを、他人に貢献するための資源に変える「貢献しよう」という精神的ニーズを旅客船でいうと「客をここまで連れて行く」という「最終目的地」である。その「最終目的地」が見つかれば、自然と客をそこに連れて行きたくなるだろう。同様に**「心の内なる炎」が点火した瞬間から人生は大きく変わる。**なぜならそれまでは肉体的ニーズ、社会・情緒的ニーズ、知的ニーズのどれかを満たすことそのものが目的になっていたが、一転して「社会に貢献したい」という「最終目的地」のために自分の持てる肉体的資源、社会・情緒的資源、知的資源を使いたくなるように変わるからだ。

まずは「稼ぐための仕事」の中に生きがいを見つけよう

「精神的ニーズ」とは、簡単にいうと「社会に貢献したい」とか「だれかに喜んでもらいたい」というニーズのことだが、心理学者アブラハム・マズローは「**健康な人間は他人を助けることの中に幸福を見出す**」と述べた。**自分が本当にやりたいことと仕事が一致し、それで社会に貢献でき、人様に喜んでもらえるのであれば、それに勝る喜びはないだろう。**それが健康な人間である証拠でもある。

マズローは「自己実現する人は仕事に興味を持っているからこそ懸命に働くのだが、ふつうに見られる仕事と遊びの区別は曖昧になっている。彼らにとっては、仕事は愉しくてたまらないものなのである。大切な仕事に没頭することは、成長・自己実現・幸福にとってきわめて重要なことである」と述べているが、「仕事と遊びの区別が曖昧になる」ことこそが生きがいのある人生といえよう。

絵を描くのが好きな人が画家として、ピアノが好きな人がピアニストとして、将棋が好きな人が棋士として、サッカーが好きな人がプロサッカー選手として、物語を書くのが好きな人が小説家として働き、それ以外にお金を稼ぐための仕事をすることなく生きていけるとしたら、これ以上幸福な人生はないだろう。彼らには仕事と遊びの区別がないのだから愉しくて仕方がないはずだ。

そこにたどり着くことは容易ではないが、自分の技を磨き続け、ステップアップしながら自分の能力を発揮できる職に転職することで近づくことができる。そのときに最大のモチベーションになるのが精神的ニーズ、つまり「私はこれをして社会に貢献したい」という願いなのである。

しかし世の中のほとんどの人は、自分が本当にやりたいことと仕事が一致しているわけではない。しかも生きていくためにお金を稼ぐ必要があり、気が進まない仕事でも仕方なく続けているのが実情だろう。

私の場合は幸運にも30代後半で専業の出版翻訳家になることができた。自分が本当にやりたいことと仕事が一致したのだから最高の幸せをつかんだといえる。ただし、私は40代前半で一時期、出版翻訳家としての仕事がまったくできなくなってしまった。しばらくは生活に不安はなかったが、やがて生活を安定させるため副業として警備員になった。

では、警備員の仕事は私にとって〝お金を稼ぐためだけ〟のものだったのだろうか。いや、決してそうではない。微力ながらも自分の持てるスキルや知識を駆使して社会に貢献したいという気持ちもあったからだ。面白いもので、そういう意識を持って働いていると次々とやるべき仕事が見つかるものである。「死ぬほど暇な職場だ」という人もいたし、事実、待機時間の多い職場でもあった。しかし私には暇な時間は一瞬たりともとてなかった。他人が暇を持て余していた待機時間、自らマニュアル作りを開始したからである。

私の勤務先ではマニュアルらしきマニュアルは存在せず、長年にわたって先輩が後輩に口伝えに仕事を教えるという流れができていた。ところが、次から次へと人が辞めては新人が入ってくる。そこで問題になるのが、口伝えで仕事を教える難しさだった。明文化されたマニュアルがないことがトラブルの温床になりかねないと思った私は、新人が読んでわかるような業務マニュアルの作成に取りかかったのだ。マニュアル作成には時間も労力もかかる。もちろん追加の手当が出るわけではない。警備員である私は職場のパソコンやプリンターは使わせてもらえなかったので、自宅でプライベートの時間を割いて作成しはじめた。会社から作成を頼まれたわけではないのでファイルも自腹、用紙も自腹、インク代も自腹ではじめたのである。

しかしはじめると、これがこのうえなく愉しいのである。新人が読んでもスッと頭に入る文章にするには何度も推敲しなければならない。そこはすでに何十冊も著訳書を出してきた私の出番である。私は先輩スタッフに協力してもらって推敲に推敲を重ねた。文字だけで説明したのではわかりづらい専門的な事柄に関しては写真や図も入れた。トラブル事例は漫画やイラストにしてわかりやすくした。さらに、職場の外観をデッサンして表紙にした。また、外国人向けに英語、スペイン語、中国語の掲示を作り、エクセルを駆使して表やグラフで補完した。

自分の業務の範囲内で自分のスキルや知識を仕事に役立てたいという思いでいると、次から次へとすべきことが見つかるものである。やがて40ページのファイル1冊がすべて埋まり2冊目になり3冊目になった。ついに200ページを超える業務マニュアルが出来上がっていた。

マズローは「**健康な人は遊びを楽しむ、仕事も楽しむ。彼の仕事は遊びになっている。仕事と道楽が同一になっている**」と述べたが、まさに私にとってマニュアル作成は「仕事と道楽が同一」になっていたのだ。私がそれまで培ってきたスキルや知識を「お金を稼ぐためにしている警備員としての仕事」の中でも大いに生かせたといえる。日本語の文章力が生かせるだけでなく、英語、中国語、スペイン語の技能や漫画やデッサンの腕、エクセルの技術を生かし、写真の腕も披露できる。それでいて周りの人たちからは感謝される。

やがて私は「この職場にかつてこれほど優秀な人はいなかった」「宮崎さんだけは別格」「宮崎さんには特別にボーナスを出すべきだ」などと褒めてくれる人が続出し、過半数の人からベタ褒めされる日々が続いた。私のバックグラウンドを彼らは何も知らないのに〝教授〟というあだ名もついた。お世辞だとわかっていても褒められると嬉しいもので、褒めてくれた人を嫌いになるはずはない。人間関係も良好となり、行くのが楽しみで仕方がない職場となったのである。

あなたは、いまの仕事を「稼ぐため」に仕方なくやっているのかもしれない。しかし、たとえそのような仕事であっても**「社会に貢献したい」とか「人様に喜んでもらいたい」という気持ちで取り組んでいると、改善できる点が次々と見つかるかもしれないし、見つかれば、やるべきこと、やりたいことも見えてくるかもしれない。**そしてそれが見つかれば驚くほど仕事が愉しくなるだろう。

まずは「稼ぐための仕事」の中に生きがいを見つけよう。

「形にする」ことで悲しみを喜びに昇華する

「大人の勉強」は、悲しみを喜びに、マイナスをプラスに、トラブルを改善に昇華する力がある。これについて述べてみたい。

イギリス留学時、毎日がカルチャーショックの連続で腹立たしいことや悲しいことが次々と起こった。私の周りの日本人留学生の多くは、日本人だけで集まってグチをいい合ったり、頻繁に日本の家族に国際電話をかけたりしてストレスを発散していた。それほど異文化の中で暮らすことは何かとストレスがたまるものである。

しかし、幸か不幸か私にはグチをいい合う友人はいなかったし、頻繁に国際電話をかけるほど家族に依存してもいなかった。腹立たしいことや悲しいことが起こるたび、それをネタにしてエッセーを書き、日本人向けの新聞に投稿していたのだ。これが反響を呼んだ。悲しみが深ければ深いほど面白いネタになるのである。私は悲しくてやりきれなかったことを書き綴っただけだったが、それが同じ悲しみを抱いていた読者の共感を呼んだ。

やがて私は英語でもエッセーを書いて投稿するようになり、イギリス人を批判する辛口エッセーをイギリスの某新聞社主催のエッセーコンテストに応募した。痛烈なイギリス人批判だったからまさか入賞するわけはないと思っていたが、驚くことに3期連続で入賞を果たした。イギリス人が読んでも面白いのだということがそのときわかった。

私は読者欄に投稿していただけだったが、その私に新聞社経由でファンレターが来たし、ついには同社からエッセー連載の依頼が来た。やがてエッセーをまとめて日本の出版社にダメ元で送ってみると出版が決まり、さらにはイギリスのBBC放送からラジオ出演の依頼が来た。このような悲しみ＝ネガティブな経験の昇華の仕方を知ってしまうと、次なる悲しい出来事が怖くなくなってくる。なぜなら悲しみが深ければ深いほどそれをネタにして昇華したとき、いい作品ができるからだ。

グチをいい合ったり、酒を飲んでストレス発散したりすることが悪いというわけではない。実際、それでストレスを発散して翌日からまた精力的に仕事に取り組めれば、効果がないわけではない。しかしそれは比較的簡単なことであり、悲しみを昇華させるほどの力があるとはいえない。

一方、**「大人の勉強」によって悲しみを文章、歌、詩、絵画、イラスト、漫画などの作**

品に昇華する術を知れば、それこそが人生最高の喜びをもたらしてくれる。ブログやウェブサイトなどを開設するのもいいだろう。

こうしたネガティブな事柄をポジティブな事柄に変える力を身につければ、生きるのが断然愉しくなってくる。

実は拙著『出版翻訳家なんてなるんじゃなかった日記』は出版社を批判する内容が多かったので、本にしてくれる出版社は見つからないだろうと思っていた。ところがひょんなことから出版が決まり、このジャンルとしては異例のヒットとなった。こうしてみると、作品という形にして残すことも社会に貢献する一つの方法であるということがわかる。

自分のメッセージを自由に書いて読者に喜んでもらえ、収入につながる。私にとっては人生最高の幸せである。しかしそれを可能ならしめたのはひとえに文章修行(つまり勉強)だったような気がするのである。

古今東西の名著や偉人伝を読んでみよう

社会の役に立ちたいというビジョンがなければ「心の内なる炎」は点火しないが、では社会の役に立ちたいというビジョンはどうすれば生まれてくるだろうか。

インスピレーションを得られる機会はいくつか考えられるだろう。尊敬できる恩師に教えを請う、映画に感銘を受ける、勉強会や講演会に行ってみる、ボランティア活動に参加してみるなど。しかし、偶発的にインスピレーションが得られる機会があればいいが、ただひたすら待っていてもそのような出来事が都合よく生じるとは限らない。

手っ取り早くておすすめなのが、古今東西の名著を読むことである。 私の場合、聖書や仏教聖典、偉人伝から多大な影響を受けた。

エジソン、アインシュタイン、リンカーン、マゼラン、モーツァルト、アメリア・イアハート、ヘレン・ケラー、マーク・トウェイン、トーマス・ジェファーソン、ルイ・アームストロング、ビートルズ、ダーウィン……。これらは子どものころに読んでいたのではなく、読みはじめたのは40歳過ぎだ。

偉人伝を読んでいると、彼らがお金、権力、名誉といった「仮象の善」に動かされず、「自らが偉大と認める目的のため」に働き、その結果、社会がよりよくなったことがわかる。自分もちっぽけなプライドを満たすために生きるのではなく、自分の一生や社会をよくするために捧げたいという気持ちになる。スケールの大きいことを成し遂げた人の伝記を大人になってから読むことの意味はここにある。

ところでマズローは当初、人間の最も高度な欲求を「自己実現」としていたが、後年、その理論を改め、**もっとも高度な欲求は「自己実現」ではなく、「自己超越」(自己よりも高次の目的のために生きること)であるとした。**これに関して、アイルランドの劇作家、ジョージ・バーナード・ショーは次のように述べている。

「**自らが偉大と認める目的のために働くこと、これこそ人生の真の喜びである。**この世の中は自分を幸せにするために何もしてくれない、と常に不平を言い続ける人よ、わがままと不満の小さな塊になるのではなく、自然の一つの力になることである。思うに、私の人生は社会全体のものであり、命があらん限りそれに仕えることこそ私の特権なのだ。死ぬときに、ことごとく使われ果てていれば本望だ。熱心に働けば働くほど生きていると実感できるからである。私は生きているがゆえに、人生を満喫している。人生は私にとって短いろうそくではない。それは今この瞬間にかかげるすばらしい松明《たいまつ》であり、次の世代にそれを渡すまで、でき得る限り赤々と燃やし続けていきたいと思うのだ」

何百年という時を経て、いまなお読み継がれている宗教書、偉人伝、古典的名著の多くは、それなりに心を揺さぶる何かがある。

その〝何か〟を自らの意思でつかみ取ろうと必死になって読んでいけば、インスピレーションが得られる可能性が高まるはずだ。

「心の内なる炎」を点火したいと本気で思うのであれば、偶発的にインスピレーションが得られる日を待っているのではなく、自らの力でインスピレーションが得られる努力をしよう。そのための有効な手段の一つが古今東西の名著を読むことである。

運よくインスピレーションが得られ、「心の内なる炎」が点火すれば、その瞬間から人生が大きく変わるはずだ。

自分を成長させ、高めるものを最優先に

次から次へと価値の高い活動をやってのける人がいる一方で、いつも「忙しい、忙しい」を連発するわりには、何の成果も上げない人もいる。

では、次から次へと成果を上げるための秘策はあるのだろうか。

自分自身が成長する、あるいは、社会に貢献するといった価値の高い活動のための時間の使い方を「最良」、愉しい思いができて満足もしたという時間の使い方を「良」、何の生産性もなく後悔しか生み出さなかったという時間の使い方を「悪」としよう。

「悪」の代表例として、ダラダラと見るテレビやインターネット動画が挙げられるだろう。あるいは、時間にルーズな人に時間をムダにされたとか、付き合っても何のためにもならない人に付き合わされたといったことも「悪」に入るかもしれない。

このような「悪」の時間に振り回されていては時間を有効に使えないことはだれにでもわかる。充実した人生を歩みたいと思っている人は、こういった「悪」に時間を費やす愚

かさを知っているので、わざわざ「悪」の時間を作ることはないだろう。

しかし、気をつけなければならないのは「良」である。「良」は魅力的である。第一、愉しいし満足できる。「良」の代表例としては、感動する映画を見る、友人と語り合う、旅行をするといったことが挙げられるであろう。

「良」に時間を割くのが悪いわけではない。「良」はその名のとおり、よいことである。また、それによって自分も向上できたり、周りによい影響を与えることができたりするのであれば「最良」にもなりうる。しかし、**「良」は「最良」を後回しにしてまですべきことではない。**これが多くの人が陥る過ちなのである。

自分にとっての「最良」とは何かをきちんと見極めていないと、往々にして「良」の誘惑に負けてしまう。なぜなら「最良」を成し遂げるには努力が要求されるのに対し、「良」は簡単に手が出せるからだ。だから「良」の誘惑に負けてしまうのだ。

あなたが自分の夢を着実に叶えたいと思うのであれば、自分にとって何が自分を高め、「最良」であるかを見極め、「最良」を「良」の後回しにしないように気をつけよう。「最良」を大切にする習慣を身につけることができたら、驚くほどやりたいことが実現できるようになるだろう。

休日こそ「緊急ではないが重要なこと」に取り組もう

私は人と親しくなると、夢や目標をたずねることがある。それがその人の持つ方向性がわかる最もよい質問だと思うからである。

すると、「本を出版したい」「海外に移住したい」「定年後は起業したい」「司法書士試験に合格したい」などと語ってくれることがある。

こうした夢を語る人に休日に何をやっているかを問うと、とくに何もせず、暇で仕方がないと答える人がとても多いのだ。

私たちが生きているこの世界は、願ったり、夢見たりしただけで思いが現実になることはあり得ず、自ら行動を起こすことでしか現実は変わらない。

「努力を要する行動」を何もしないでいきなり本が出せたり、外国で暮らせたり、会社を経営したりすることは「夢」というより「幻想」に近い。

では、「夢」を現実化するにはどうすればいいのだろうか。

『7つの習慣 最優先事項』の著者スティーブン・R・コヴィー博士は、時間の使い方を次の4つの領域に分類した。

・第一領域「緊急であり、かつ重要なことをする時間」
急いで対応する必要のある重要なことをする時間。締め切りのある仕事や大事な人との約束、猶予のない問題への対応、病気やケガの治療などがこの領域に入り、私たちはほとんど自動的に反応し、行動している。

・第二領域「緊急ではないが、重要なことをする時間」
いますぐ着手するものではないが、とても重要なことをする時間。将来のための勉強やキャリアアップについて考えること、大切な人との関係を深めることなど、緊急性はなくとも人生においてとても大切なことがこの領域に入る。体調管理などのリフレッシュも含まれる。

・第三領域「緊急だが、重要ではないことをする時間」
急ぎの用事ではあるが、あまり重要ではないことをする時間。人から頼まれた急な雑用、突然の来客、気の進まない会食などがこの領域に入る。

・第四領域「緊急でもなく、重要でもないことをする時間」

急ぎでも重要でもないことをする時間。ムダなおしゃべり、テレビ、ゲームなどの暇つぶしがこの領域に入る。

実は、「夢」を実現する可能性が高められるのは第二領域の時間なのである。いますぐやらなければ困るものでもなければ、人から強制されたり急かされたりするものでもないが、「なりたい自分」や成功に近づくために必要なものはこの領域に入っている。

しかし、第二領域に費やせるのは自由時間に限られる。したがって、仕事が休みのときに第二領域に時間を使うようにするのがもっとも適しているといえる。**だれもが休んでいる休日に、夢を実現するための勉強をしていけば、それが自分の潜在能力を開花させる礎となる。**

とくに長期休暇に集中して第二領域に費やすと、その後の飛躍に大いに役立つ。たとえば「大人の勉強」でいうなら、正月休みやゴールデンウィークなどの長期連休は、時間がたっぷりとれるため、苦手分野の克服にあてたり、手つかずだった教材や本を読破したりする絶好の機会である。これを「大人の勉強」に利用しないのはもったいない。

また、不得意な分野の勉強は独学では非効率なことが多いが、この長期休暇に期間限定で個別指導を取り入れるのもおすすめだ。いわゆる「他人知」を使うのだ。

難関な試験を目指している場合は合格者に家庭教師を頼んだり、英会話を速く習得したいならネイティブに家庭教師をしてもらったりするなど、マンツーマンでみっちり教えてもらえれば、それこそ短期間で専門知識やスキルを習得することも不可能ではない。

無計画にのんびり過ごしているとあっという間に終わってしまう連休だが、1年に1回でも2回でもこうした挑戦を自分に課し、毎年続けていると、夢が徐々に現実化していくのがわかるだろう。

「休みの日に何をしていますか?」とたずねられたとき、「本の原稿を書いています」とか「海外移住のために英語を勉強しています」とか「資格試験の勉強をしています」などといえるような、具体的で確かな方向性を持った時間の使い方ができるようになれば、「幻想」はもはや「幻想」ではなくなり「夢」に近づくだろう。しかし、「とくに何もしていない」といっているようでは「幻想」は「幻想」のままだ。**「夢」に近づきたいなら、第二領域に多くの時間を費やすような行動を起こそう。**

魂を磨くためのいちばん簡単な方法

アリストテレスによれば、「生きがいのある人生（エウダイモニア）」は、人間の実体ともいえる魂がすぐれたものになったときにもっとも手に入りやすいという。つまり、**よい人間になったときに人間はもっとも幸せになれるということだ。**

魂をよりすぐれたものにし、よい人間になるというと、とても大仰なことに聞こえるが、実はそれほど難しいことではない。

魂の構成については多くの哲学者が考察しているが、ほとんどの哲学者の主張に共通することは、**魂には理性の部分と欲望の部分があるということである。**

一般に欲望は悪の根源のように思われがちだが、実は欲望そのものが悪いというわけではない。問題が生じるのは、欲望が理性のいうことを聞かなくなって暴走するときだけである。ただ、欲望は往々にして暴走しがちなので、悪の根源のようにいわれているにすぎないのだ。

では、欲望に理性のいうことを聞かせるにはどうすればいいだろうか。

大別すれば2つの方法がある。

1つは、**欲望を暴走させないようにすることである。**アリストテレスはそのためによい習慣を身につけることが必要だと説き、カントは「野性的な粗暴さを人間性の規則に拘束させる訓練」が必要だと説いた。

たとえば、直感的に「これをやったら(さすがに)まずい」と思うことは決してやらないとか、「これは面倒だがやるべきだ」と思うことは気が進まなくてもやってみるとか、そんな当たり前の基準でOKだ。

もう1つは、**理性を育てることである。**プラトンはそのために学問をすすめた。具体的には第一段階では計算術と数論、第二段階では幾何学、第三段階では「深さを持った次元の研究」、第四段階では天文学をすすめた。ただし、これらはあくまでも前奏曲にすぎず、本局として哲学的問答法をすすめている。

プラトンはこのほかに音楽や文芸による教育をすすめたが、その理由として「リズムと調べというものは、何にも増して魂の内奥へと深くしみ込んでいき、何にも増して力強く魂をつかむものであり、人が正しく育てられる場合には、気品ある優美さをもたらしてその人を気品ある人間に形作る」とした。さらに、美しい作品に触れることの重要性にも言及している。

多くの人が渇望する金・名誉・私有物といった「この世のモノ」は人間の欲望を暴走させる力を持っている。しかし欲望を暴走させてしまえば「悪い人間」に成り下がる。それでは幸せになれないどころか、不幸へとまっしぐらだ。

人間の幸福は魂をすぐれたものにすることによって得られるということを、古今東西の哲人たちは教えている。金・名誉・私有物といった「この世のモノ」を手に入れるより、理性を磨くことやよい習慣を身につけたほうが何倍も幸福に近づけるのだ。

「日本人の語彙力向上」をミッションとして生きる

ぶれない強い自分を作るには「世の中にどう貢献できるか」を一番に考えることだ。そ
れが第一の動機であれば、お金になるかどうかはそれほど重要でなくなってくる。だから
お金にならなくても心が折れることはない。お金を超えた世界に入れるのだ。そしてその
世界に入ってはじめて「心の内なる炎」が点火する条件が満たされる。

私がいまもっとも「心の内なる炎」を燃やしているのが、6カ国語の「ボキャブラリーコ
ンテスト」（ソフィア・外国語研究協会主催）の普及活動だ。

ボキャブラリーコンテストは2014年にスタートし、英語の大会は15回続いている。
外国語の文献を原書で読むには膨大な語彙力が必要だが、その語彙力を幅広く磨くための
適切な検定試験がなかったため、私が創設した。開催地の東京には全国から参加者が訪れ、
リピーターもふえているが認知度が低く、赤字続きだが、私の心が折れることはない。な
ぜなら最初からお金を稼ぎたいという動機でやっているわけではないからだ。

ボキャブラリーコンテストを軌道に乗せ、多くの外国語学習者によい刺激を与え、レベルアップに貢献することがいまの私の最大の夢だ。

高度な内容の英書を読もうと思えば、とことん語彙力を磨かなければならない。そのことは私がロンドン大学神学部の遠隔教育で学んでいたとき、課題図書のあまりの難解さに仰天し、思い知ったことだ。それまである程度の語彙力を自負していたが、難関として知られる英検1級(合格率は9〜10%)にやっと合格したくらいのレベルでは、高度な内容の英書を読むのに十分とはいえないことが身に染みてわかった。

英語を熱心に学び続け、せっかくあるレベルまで熟達した人が名著を読めないのはとてももったいない。彼らの語彙力をもっとブラッシュアップし、モチベーションアップに役立てればどんなにいいだろう。そんな思いで私の持ち味である語彙力を生かせる仕事をしようと創設したのが、ボキャブラリーコンテストだ。

私ならユニークな出題ができる。難易度の高い単語も含めた出題ができる。これまでにない良問が作れる。きっと多くの人に喜んでもらえるだろう。これこそ私にとっての「エウダイモニア」だと思い至った。参考までに次ページにボキャブラリーコンテストのサンプルを紹介しているので、チャレンジしてみてほしい。

チャレンジ!

英語の語彙力を鍛える!ボキャブラリーコンテスト

ネイティブなら子どもでも知っている身近な語彙や、高度な内容の書物を読むうえで必要となる語彙は、非ネイティブ向けの検定試験対策ではカバーできない。そこで語学学習者の語彙力に磨きをかけるモチベーションアップのため、私が主催しているのが「ボキャブラリーコンテスト」だ(企画・主催:ソフィア・外国語研究協会。現在は休止中)。これは、単語・熟語・イディオム・会話表現・ことわざ・婉曲表現・擬音語・擬態語などの語彙力に特化したユニークなコンテストで、英語、ドイツ語、フランス語、スペイン語、イタリア語、中国語の6カ国語で開催している。オーソドックスな問題が約7割を占めるが、約3割は「既存の各種検定試験には出そうにない語彙」が出題され、ありとあらゆる語彙が出題範囲になっている。一部を紹介するのでチャレンジしてみてほしい。

●次の英単語に相当する日本語を選びなさい。

(1) valid

1. 思い切った　2. 有効な　3. 家庭の　4. 有史以前の

(2) audible

1. 聞こえる　2. 食べられる　3. 比類のない　4. 熟した

(3) culminate

1. 縮こまる　2. 没頭する　3. 宣言する　4. 最高潮に達する

(4) anesthetic

1. 麻酔剤　2. 美学　3. 誠実さ　4. 擁護者

●次の日本語に相当する英語を選びなさい。

(5) 恐怖

1. creed　2. formula　3. relic　4. dread

(6) 翻訳する

1. alternate　2. translate　3. anticipate　4. speculate

●次のイディオムに相当する日本語を選びなさい。

(7) lose heart

1. 勝つ　2. がっかりする　3. 出す　4. 執着する

(8) make sport of

1. からかう　2. 間に合わせる　3. 白状する　4. 頑張る

●次の英単語の意味とほぼ同じ意味をもつ英単語を選びなさい。

(9) mutter

1. murmur　2. hock　3. opt　4. satisfy

(10) insatiable

1. incessant　2. unsatisfiable　3. meager　4. illogical

●次の英単語に相当する定義を選びなさい。

(11) shame

1. the state or time of greatest vigor or success in a person's life
2. the way a thing turns out
3. a painful feeling of humiliation or distress caused by the consciousness of wrong or foolish behavior
4. the state of being known by many people

●次の定義に相当する英単語を選びなさい。

(12) a type of language consisting of words and phrases that are regarded as very informal, are more common in speech than writing, and are typically restricted to a particular context or group of people

1. slang　2. pang　3. conversation　4. dialog

●次の日本語のことわざに類似する意味の英語のことわざを完成させるために適切な英単語を選びなさい。ただし、日本語のことわざを直訳したものが英語のことわざになるとは限りません。

(13) 噂をすれば影がさす

Speak of the (　　) and he will appear.

1. teacher　2. father　3. doctor　4. devil

●次の英会話表現の意味として最も適切な日本語訳を選びなさい。

(14) Roger wilco.

1. 了解　2. ダメだ　3. 最高だ　4. 頑張れ

●次の英語の婉曲表現の意味に最も近い日本語訳を選びなさい。

(15) five o'clock shadow

1. フクロウ　2. 上司　3. 無精ひげ　4. ストーカー

●次の4つの英単語の中で「仲間はずれ（ほかの3つとは異種または異質なもの）」と考えられるものを選びなさい。

(16) 1. jeans　2. ladder　3. shorts　4. overalls

●次の英語の略語に相当する日本語訳を選びなさい。

(17) DINKs

1. 国際法学士　2. 人口集中地区

3. 内務省　4. 共働きで子どものいない夫婦

●次の4つの英語表現の中で最も不自然な表現を選びなさい。

(18) 1. sporting facilities　2. sporting players

3. sporting events　4. sporting activities

●次の鳴き声に相当する動物を選びなさい。

(19) cock-a-doodle-doo

1. ワニ　2. フクロウ　3. おんどり　4. ハト

●次の英語に相当する記号を選びなさい。

(20) is proportional to

1. Σ　2. √　3. ∞　4. ∝

●次の空欄に入る最も適切な英語を選びなさい。

(21) (　　　　), also known as sleeplessness, is a sleep disorder where people have trouble sleeping.

1. leukemia　2. insomnia

3. convulsion　4. diabetes mellitus

●オーストラリアで使われる次の英単語に相当するアメリカ英語を選びなさい。

(22) arvo

1. avocado　2. angry　3. airplane　4. afternoon

●英単語として綴りが間違っているものを選びなさい。

(23) 食物

1. brownie　2. caramelle　3. muffin　4. brioche

解答

(1) 2　(2) 1　(3) 4　(4) 1　(5) 4　(6) 2　(7) 2　(8) 1　(9) 1
(10) 2　(11) 3　(12) 1　(13) 4　(14) 1　(15) 3　(16) 2　(17) 4
(18) 2　(19) 3　(20) 4　(21) 2　(22) 4　(23) 2

おわりに

40歳になりたてのころ、私は絶望の淵に立たされていた。

夢のそのまた夢だった専業の出版翻訳家になれ、多数の著訳書を出して何冊かはベストセラーになり、次から次へと執筆、翻訳、インタビュー、講演、ラジオ出演の依頼が舞い込んで来たり、自著の韓国語版が3冊も出版されたりという成功体験を味わっていたから、他人から見れば、順風満帆の日々を送っていたように見えたかもしれない。

しかし実情はといえば、度重なるトラブルに遭遇していた私は出版業界に失望していた。他にしたい仕事などなかった私はまさに暗黒の真っただ中をさまよっていた。

（この仕事、あと何年もつかな。もう一回トラブルに遭遇したらそこで私の文筆家人生も終わるだろう。その後、どうやって生きていこうか。このままではいけない。自分を変えなければ！）

しかし、お金、名誉、評判、実績……このような一般に「よいもの」と見なされるものを手に入れるために、別の何か大切なものを犠牲にすることは本当に「よいこと」なのだろうか。そんなことまでして手に入れる価値があるものだろうか。手に入れたらそれで幸せになれるのだろうか。

「何かが違う」そんな思いが強くなればなるほど、お金、名誉、評判、実績を手に入れることに興味が薄れていった。

（私はいったい何を求めているのだろうか。お金や名誉なんかを手に入れるためにアクセクしても幸せになれそうにないし、どうすれば幸せになれるのだろう）

暗闇に一すじの光が見えたのは、40歳を過ぎて複数の大学に入り直し、哲学、神学、法学、商学、工学とさまざまな分野の学問に乗り出し、学問を続けていくうち、「**生きがいのある人生を送ることこそが人生最高の幸せであり、勉強こそがその基盤を作るものである**」と確信したときだった。そしてその確信が強まれば強まるほど若かりしころから憧れ続けていた富も名声も権力も色褪せて見えるようになった。もっと大切なものがあるとわかったからだ。

本書ではその私の信念とその信念を形成する過程で習得した独自の勉強法について述べてみた。本書を参考にして、あなたなりの生きがいのある人生を見つけていただければ幸いである。

著者しるす

●おもな参考文献・論文

『完訳 7つの習慣』スティーブン・R・コヴィー著、フランクリン・コヴィー・ジャパン訳（キングベアー出版）
『7つの習慣 最優先事項』スティーブン・R・コヴィー著、宮崎伸治訳（キングベアー出版）
『新約聖書』（日本聖書協会）
『旧約聖書』（新日本聖書刊行会）
『ニコマコス倫理学（上）』アリストテレス著、高田三郎訳（岩波文庫）
『マズローの心理学』フランク・ゴーブル著、小口忠彦監訳（産能大学出版部）
『人を動かす』デール・カーネギー著、山口博訳（創元社）
『家族という病』下重暁子（幻冬舎新書）
『知的生活の方法』渡部昇一（講談社現代新書）
『大学教授になる方法』鷲田小彌太（言視舎）
『自分を最高に生きる』アーノルド・ベネット著、渡部昇一訳（三笠書房）
『あえて英語公用語論』船橋洋一（文春新書）

『世界中の言語を楽しく学ぶ』井上孝夫（新潮新書）

『日本人の9割に英語はいらない』成毛眞（祥伝社黄金文庫）

『英語教育大論争』平泉渉、渡部昇一（文春文庫）

Learning languages is a workout for brains, both young and old（Penn State University）
https://news.psu.edu/story/334349/2014/11/12/research/learning-languages-workout-brains-both-young-and-old（2021/8/19 取得）

脳の健康とより良い意思決定：外国語学習3つの利点（SBS 日本語）
https://www.sbs.com.au/language/japanese/noy-nojian-kang-toyoriliang-iyi-si-jue-ding-wai-guo-yu-xue-xi-3tuno-1（2021/8/19 取得）

■ 著者 ■

宮崎伸治（みやざき・しんじ）

1963年生まれ。青山学院大学国際政治経済学部卒業。英シェフィールド大学大学院言語学研究科修了。大学職員、英会話講師などを経て出版翻訳家となり、著訳書は60冊以上。金沢工業大学大学院工学研究科修了、慶應義塾大学文学部卒業、英ロンドン大学哲学部卒業および神学部サーティフィケート課程修了、日本大学法学部および商学部卒業。英語・翻訳関係の資格をはじめとする133種の資格を取得。英語、フランス語、ドイツ語、スペイン語、イタリア語、中国語の原書を読むことが趣味でありライフワーク。日々ボキャブラリー力アップに心血を注ぐ。おもな訳書に『7つの習慣　最優先事項』（キングベアー出版）、近著に『出版翻訳家なんてなるんじゃなかった日記』（三五館シンシャ）などがある。

現在はおもに執筆・講演活動。

■ STAFF ■

カバーデザイン：小口翔平＋畑中 茜（tobufune）
本文デザイン：石田 隆（ムシカゴグラフィクス）
編集：三宅礼子
校正：株式会社円水社

自分を変える！ 大人の学び方大全

発行日　2021年12月25日　初版第1刷発行

著　者　宮崎伸治
発行者　竹間 勉
発　行　株式会社世界文化ブックス
発行・発売　株式会社世界文化社
〒102-8195　東京都千代田区九段北4-2-29
電　話　03-3262-5118（編集部）
電　話　03-3262-5115（販売部）
印刷・製本　中央精版印刷株式会社

ISBN978-4-418-21603-1